우리, 하루의 기적을 말하다

평범한 일상이 자아내는 특별함에 대한 정진홍 인터뷰집

정진홍

한국문인협회 시분과회원이자 소아과 의사이다. 저서로는 시집 <강물은 그 끝이 있을까>, <도시공원>, <소리가 그립다> 및 에세이 <별들도 이런 병을 알았다>가 있다. 작품을 통해 인간 존재의 가치와 사회적 상호작용의 중요성을 탐구한다. 타인과의 만남과 대화를 통해 자아를 발견하고, 일상의 순간들에서 깊은 인간적 고민을 섬세하게 담아내며, 이를 통해 독자들에게 삶의 의미를 되새기게 하는 메시지를 전달한다.

우리,
하루의 기적을 말하다

평범한 일상이 자아내는 특별함에 대한 정진홍 인터뷰집

목차

프롤로그

우리 자신은 삶에 대하여 어떤 깨달음을 지니고 있을까. 거의 대부분의 사람이 주변 사람의 내적인 문제를 이해하고 해석할 수 없게 된 세상에 우리가 살고 있다. 마틴 슐레스케는 그의 저서 『울림』에서 말한다.

「나무라는 유기체는 사랑이 서로 다른 모습으로 구현될 때 전체에 유익하다는 것을 깨닫게 한다. 다른 사람들을 모방하도록 강요당할 때 재능과 소명은 말라 버리거나 시들어 버릴 수 있다. 나뭇잎이 땅속으로 파고들려 하면 뿌리가 무슨 역할을 하는지를 이해하기는커녕 썩어 버릴 것이다. 뿌리가 나뭇잎처럼 공중으로 뻗어 나가고자 한다면, 나뭇잎을 이해하기는커녕 얼마 지나지 않아 말라버릴 것이다, 더불어 사는 공동체 역시 서로를 다 이해하지 못해도 서로에 대한 신뢰에 바탕을 둔다.」

오늘날 주변의 사람들을 나는 그 얼마나 알고 있을까. 생물체로서 인간의 생리학적 기전만을 말하지 않는다. 본인이 살아 왔던 생애의 기록에 비추어 유추하고 판단한다. 독거도 사람을 만난 것은 낙도 순회진료 팀으로 조도에 갔을 때다. 건강 검진을 마칠 무렵, 많은 환자들로 인하여 석양 때가 되었다.

이미 집으로 가는 페리선 운항은 종료되었다. 진도의 아들 섬 조도에서도 한참 남동쪽으로 가야 독거도가 나온다. 영감님은 갇힌 신세가 된 셈이다. 딱한 처지를 보고 내 숙소에서 나와 함께 잠을 자고 내일 배가 올 때 맞추어 집에 가시라고 권했다.

처음에는 함께 방을 사용하게 되어 어려워하셨다. 낙도의 밤에 할 말이 얼마나 많을까. 우선 자식들 이야기부터 말문을 텄다. 그랬더니 폭포처럼 낙도에서의 삶의 애환을 쏟아낸다. 바다 바람이 몹시 부는 날, 하늘로 간 부인의 이야기 끝에 결국 눈물을 흘리신다. 이 분의 진솔한 이야기를 들어주느라 밤이 깊어 가는 줄 몰랐다. 섬사람의 생활을 잘 모르던 나에게는 꿋꿋하게 외진 섬에서 살아 오신 영감님의 자세가 너무나 돋보였다.

이런 감탄은 낙도의 간호사로 오랫동안 이 섬 저 섬으로 근무지를 옮겨 가며 낙후된 섬사람들을 위해 정성으로 오랫동안 봉사하는 보건진료소 김영진 소장을 비롯한 대부분 내가 만난 분들의 굳건한 삶에 대한 긍정, 낙천적인 생각에 저절로 감탄하게 된다.

이렇게 사람을 만나고 마음에 걸린 이야기를 듣고, 이분들의 애환에 대한 심정을 마음으로 받아들이는 일은 너무나 보람 있다. 세상에는 하는 일이 다 달라도, 자기 분야에서 최선을 다하는 사람에게는 격려의 박수를 보내야 한다.

아프리카에서 사목활동을 열심히 하다가 건강 문제로 돌아와 국내 사목을 하시는 신부님의 이야기를 들으며, 오지의 땅에서 어려운 봉사와 사목활동을 해 온 그분의 삶을 현재 우리들의 삶과 비견하고 싶어졌다. 또한 해외 사목에 대한 꿈을 가진 많은 젊은이들에게 격려를 보내고자 한다.

이 책이 우리가 잘 접할 수 없는 직업에 대한 호기심만으로 시작된 것이 아님을 말씀드린다. 힘든 상황 속에서도 씩씩하게 열심히 살아가는 분들의 체험을 통한 진솔한 말을 전해 드리고 싶었다.

그들의 가식 없는 삶에서 우리 자신의 오늘을 다시금 돌아보기로 한다.

불꽃 정진홍

정진홍이
만난 사람들

화가 정송규

광주 시립미술관에서 초대전을 하고 있는 화가를 만났다. 한국 서양화의 거목 오지호를 시발로 양수아, 임직순 등의 뒤를 이어 조선대학교 미술과 출신의 역량 있는 화가가 많이 배출된 광주 화단은 현재 한국 화단의 큰 지류를 이루고 있다.

정송규는 일찍이 미국의 Clevland Institute Art School에서 수학하면서 현대 미술에 대한 이해의 폭을 넓히며 자기 예술의 폭을 키웠다. 일본 중국 등에서 20여 회의 개인전과 초대전을 개최했고, 많은 호평을 받았다.

정송규의 그림의 세계는 무수한 조각과 점으로 보이는 구성을 통하여, 서로의 관계를 만들고, 여기에서 파생하는 삶의 이상과 꿈을 찾는 것이다. 그 외로운 작업을 끊임없이 하고 있는 그를 만났다.

작품의 화제가 어머니에 관한 것이 많은데, 어머니는 당신에게 어떤 존재입니까?

저희 어머니의 삶, 고통과 인내, 자식과 주변 사람들을 위한, 인고의 삶이 뒷날 저에게 각인되었습니다. 그래서 제 어머니는 제 작품의 주제가 되고 삶의 지표도 되었지요.

아 그래요, 관계를 말씀하셨는데, 인간의 삶 자체는 말할 것 없고 삼라만상을 모두 '관계'라는 의미와 연관시키고 있는데, 작가의 작품에서도 관계는 같은 의미인가요?

그렇습니다, 관계를 통한 자기의 발견, 삶의 의미의 발굴이 바로 저의 작품 세계라 할 수가 있겠지요.

처음에는 구상 작가로 출발하여, 이젠 비구상으로 나아가셨는데, 어째서지요?

현대 화단에서 작가들의 임무란 미적 호기심과 보는 사람의 창작적 동기를 보는 사람 스스로가 우러나올 수 있게 하는 게 아닐까 합니다. 비구상 작업은 복잡한 현대인의 이러한 정신 영역에 가장 근접할 수 있는 것이라 생각합니다.

그 많은 단위의 작업을 하는 데 어렵지 않으셨어요?

이 하나하나가 모두 저의 시간이고 삶의 얼굴입니다.

그 수많은 단위라면 단위, 개채라면 독립된 개체라고 할 수 있는데, 여기에 각자의 독립성이랄까, 각기의 자유까지 그 의미를 부여하는 작업의 의미는 무엇입니까

하나하나가 제가 살아 왔던 과정, 즉 시간과 삶의 족적이지요. 그래서 제겐 큰 의미가 있고 가치가 있지요.

삶이란 도대체 무엇일까요?

괴롭고, 어려운 거지요. 사람이 산다는 것, 그거 참말로 피를 말리는 거고, 사는 게 결코 수월한 것은 아닌 것 같아요.

하기야 석가모니, 예수 같은 성인들도 비슷한 말씀을 하셨던 것 같네요. 앞으로도 같은 일을 하시겠지요?

제가 살아 있는 한 저의 정체성이랄까, 제가 어디에서 와서 왜 살고 있는지, 그리고 어디로 가는지 하는 근본적인 물음에 끊임없이 도전할까 합니다.

오늘 말씀 감사합니다.

서양화가 우제길

우제길 화백은 1942년 일본 경도에서 출생했다. 40여 년간에 걸쳐 서양화를 그려 왔고, 비구상 작가로 꾸준한 창작 활동을 했다. 그동안 일본, 독일, 프랑스, 중국, 캐나다, 미국, 중동 등에서 초대전과 순회전을 열어 많은 찬사를 받았다. 빛과 암흑의 조화를 통한 아름다움을 끊임없이 추구해 온, 그와 대화를 해 본다.

그림을 그리는 궁극적인 이유는 무엇일까요?

아름다움을 추구하는 것 자체가 곧 행복에 대한 추구가 아닐까 생각합니다. 행복을 그리워하는 것은 인간 본연의 자세라고 여겨집니다. 그림을 그리는 것도 바로 그것이지요.

초기 작품은 농악놀이의 휘날리는 상모에서 모티브를 얻은 것으로 알고 있는데요.

그렇지요. 햇살 가운데서 휘날리는 상모의 빛과 암흑의 콘트라스트야말로 아름다운 예술적인 출발이지요.

초기 작품에서 보였던 많은 곡선이 요즈음 작품에서는 조금 변화가 보이는 것 같은데…….

그렇습니다. 제 작품의 변화는 계속되어 왔습니다. 화가는 끊임없는 변신을 통하여 진정한 창작 세계로 몰입하지요

지금의 작품에서 보이는 선의 단순 명료함도 같은 시도일까요?

시도의 목표는 하나입니다. 앞에서 말씀드렸던 행복 추구야말로 예술의 궁극적인 가치이니까요.

화가는 근래 판화에 대한 많은 관심을 가지고 활동을 하는 걸로 알고 있는데요.

지난번에 프랑스 판화작가인 파스칼 씨를 초대하여 저희 미술관에서 워크숍을 했습니다. 제 판화를 통한 작품 활동도 비구상 창작 활동과 함께 계속될 것입니다.

기대됩니다. 화가의 작품 색상에 대해서 궁금한데…….

제 작품의 기조색이 점점 변화를 한 것은 사실이지요. 지금은 붉은 색조를 많이 사용하고 있습니다.

그런 것 같습니다.

붉은색은 희망 삶에 대한 용솟음, 이런 것이 있지요. 이러한 희망의 세계에 대한 기대감으로 끊임없는 창작의 추구가 뒤따를 것입니다.

우제길미술관에서 하고 있는 사업 계획이 있습니까?

장애우를 위한 북 아트 프로그램으로 〈마음으로 읽는 아트 북〉을 만들었지요. 장애아동을 수용하여 직업 훈련을 하고 있는 시설인 엠마 하우스에서 진행하고 있습니다.

앞으로의 미술관 운영 방향은요?

초대전을 준비 중입니다. 그리고 금년에는 좀 더 활발하게 작품 활동을 할 계획입니다. 개인적 희망으로는 이곳 의제로가 명실상부하게 이 지역의 문화 메카로 발돋움했으면 합니다. 행정 당국의 협조가 더욱 필요한 사항입니다.

감사합니다. 앞으로도 더욱 많은 사람에게 행복감을 안겨 줄 수 있는 작품의 탄생을 기대합니다.

우제길 미술관 1층 전시실

미술관 전경

소설가 한승원

『불의 딸』, 『아제아제 바라아제』, 『원효』의 작가, 바다와 고향 이야기를 그렇게 진솔하면서도 감동스럽게 독자들에게 펼쳐 보여주는 한국의 대표적인 작가 한승원은 그의 꿈을 따라 고향으로 돌아왔다. 그의 아호인 해산에, 글 쓰는 집을 토굴로 표현한 그의 겸손한 마음가짐이 그렇게도 돋보임은 우리의 현실이 비교되어서일까, 그의 작품의 산실인 '해산토굴'을 찾아 방문한 전남 장흥군 안양면 율촌리는 여늬 남해안의 뒤편에 산을 낀 해변 마을의 풍경 그대로였다. 그러나 작가는 고향의 산과, 고양이 손바닥보다도 더 작은 들판과, 항상 살아 움직이는 바다의 몸짓에서 삶을 배운 듯하다. 조용한 집안의 분위기를 깨뜨려 행여나 집필하는데 지장이 있을까 저어하여 한참 동안 밖에서 기다렸다. 문을 조심스럽게 두드리자 작가의 얼굴이 보였다. 얼굴 색은 여전히 밝았다. 반가워하는, 천진스럽기까지 한 그의 웃음도 여전했다. 집 뒤로 돌아가자 차밭이 있었다. 이제 그와 그의 부인은 차를 우려내는데 도사가 되었다고 한다. 그의 자랑 아닌 자랑을 믿을 수밖에. 마침 그의 부인은 외출 중이어서 그 차 맛을 맛볼 기회를 다음으로 미루었다.

한국의 대표적인 작가 한승원의 해산토굴의 전경
그는 여기서 10여 권의 소설을 완성했다.

해산토굴 앞의 바다. 그의 작품의 소재인 그곳이다.

그의 영혼을 살찌게 만들었던 그의 고향 바다

작가는 토굴을 나서면서도 어린애 같은 환한 웃음을 보여 주었다.
그의 웃음 띤 표정은 세월이 갈수록 정답고 심오해진 듯하다.

집필실 앞의 오층석탑

반갑습니다, 얼마 만일까요. 세월이 많이 흐른 듯합니다.

정말 오랜 만입니다,

1968년『목선』이 대한일보 신춘문예에 당선되어 데뷔하신 이래 글쓰기를 하신 세월이 어떻게 되시지요?

헤아려 보니 50여 년 되었네요. 반세기나 됐어요.

연륜이나 사상의 깊이가 헤아릴 수 없습니다. 글쓰기가 작가님께는 어떤 의미인지요?

존재의 의미지요. 글을 씀으로써 자신이 무엇인가 하는 물음 가운데서 자신의 존재를 확인하고 다시금 깨우치게 되지요.

해산 토굴로 내려오신 세월은?

11년째니 이제 만 10년이 되는 것 같습니다.

작가님은 그동안 고향 바다에 관한 여러 소재를 통하여 인간 내면과 삶에 대한 탐구를 해 왔습니다만, 근래는 불교사상에 대한 소재가 주된 것 같습니다.

불교는 거대한 사상의 바다지요. 거기에는 한없는 사상으로 사람들이 탐구하려 해도 끝이 없지요.

차 사상에 대한 관심이 또한 근래 작가님 작품에서 많은 비중을 차지하고 있지요?

그렇습니다. 초이 선사를 필두도 다산 선생까지 제가 추구해 가야 할 사상의 주맥이라고 생각하고 있습니다.

그 가운데서 한국인으로서 우리 자신의 정체성을 확인하는 작업이라고 이해하면 될까요?

그렇습니다.

건강 관리는 어떻게 하십니까?

산책과 체조 그리고 반신욕을 하지요.

특히 좋아하는 음식은 무엇입니까?

생선회를 좋아합니다.

(그가 바다가에서 어린 시절을 보낸 이유일까 하고 자문하여 본다. 바다 이야기만 나오면 그의 눈빛이 빛난다.)

서울에서의 17년 생활과 여기 바닷가의 11년 생활을 비교하면 어떻습니까?

역시 도시는 스트레스가 많은 곳이지요. 비정하고요. 그러나 우리 농촌, 특히 고향은 여전히 푸근한 느낌을 주지요. 그래서인지 여기 와서 건강도 많이 좋아졌어요. 결과적으로 10여 권의 소설을 여기 와서 탈고했다는 것이 바로 그 답이 아닐까요?

아무튼 고향이 좋긴 하군요. 그런데 고향을 잃어 가는 현대인이 점점 많아지는 것 같은데.

그게 현대인의 비극이지요. 고향은 제 모든 것입니다. 이곳을 토대로 제 모든 것이 시작됐어요. 그동안 저를 낳고 키워 준 자궁이죠. 고향은 제 시작이고 끝입니다.

독자들은 잃어버린 고향의 소중함과 그 의미를 다시 일깨워 준 작가님을 오랫동안 기억할 겁니다.

한국의 대표적인 소설가, 고향과 바다와 사람들의 삶에 얽힌 애환을 쉬지 않고 뒤 쫓아가며 독자들에게 재미를 섞어 말해 준, 우리 세대의 천부 이야기꾼인 작가와는 다른 날에 이야기를 더 나누기로 한다.

해산토굴의 주인공은 여전히 앞에 펼쳐진 바다를 바라보며 빙그레 웃고 있다.

칠량 옹기장인 정윤석

옹기 장인의 가마 불길

강진만의 바다는 석양으로 점점 물들고 있었다. 마량으로 가는 꼬부랑 길을 달려 다다른 해변 마을 봉황리는 이제는 폐어촌이다. 쓸모없게 된 어선, 썰물에 배를 내밀고 있는 갯벌이 나를 맞이한다. 겨우 20여 호의 가구가 있는 강변 바다 갯마을 사람 정윤석 씨(66세)는 오늘 아침부터 옹기가마에 아들과 함께 장작불을 지피고 있었다. 옹기 가마는 다섯 단계로 불을 때야 한다.

"3일간은 피움불로 시작하지라. 이때는 옹기에서 수분을 증발시키는 단계랑께."

설명을 하면서도 한잔 마신 술로 얼큰해진 장인의 얼굴이 가마 안의 불빛에 반사되어 번득인다.

두 번째는 돆임불, 세 번째는 배낌불인데 이때 옹기에 붙은 끄림(그을음)을 벗겨낸다. 다음은 다듬이 불이다. 가마의 중간 중간에 16개의 구멍을 만들어 놓고, 이 구멍 속으로 장작불을 내밀어 태운다. 위쪽에 놓여 있는 옹기들은 아래서 태우는 불길이 와 닿지를 않아 구워지지 않는데, 이렇게 하면 비로소 완전한 불맛을 보고 구워진다.

이렇게 여러 단계의 불 지피는 일은 여간 정성이 깃들지 않으면 불가능하다.

10여 일간 불길은 타오르고, 옹기 장인의 얼굴에는 땀방울이 그치지 않는다. 가마 안의 불길에 싸여 있는 저 옹기가 얼마나 훌륭한 모습으로 세상에 태어날까. 기다림과 설레임이 이곳 주변에는 가득하다.

항아리는 10여 년 전까지지도 우리네 살림살이에는 반드시 필요한 그릇이었다. 그러나 싸고 편리한 플라스틱 제품이 나와 항아리는 이제는 특수한 경우에만 사용되며 명맥이 이어지고 있다. 그러나 한국 고유의 음식 맛뿐만 아니라, 위생적인 측면에서도 화학 제품과는 비교가 되지 않는다.

이곳 칠량면 일대는 옹기를 만드는 데 필요한 좋은 점토가 많이 나와 600여 년 동안 옹기 그릇의 명산지로 이름을 날렸다. 중국에까지도 이곳의 제품이 팔려 나갔다고 한다. 그릇에 바르는 유약과 잿물을 이곳 나름의 독특한 비법으로 만들어 사용했다고 한다.

옹기마을에 태어난 그는 아버지의 심부름을 하면서 16세 때부터 이 일을 해 왔다.

"이일을 하면서 아들 셋과 딸 하나를 두었는디, 감사한 일이지라."

막내아들이 그의 일을 돕고 있었다, 이 일에 만족 하느냐는 물음에 아들은 그저 웃고 만다. 아버지가 그랬던 그 모습이리라.

마을 전체가 옹기로 살림을 꾸려 갔던 그 시절은 일찍이 가고 이제는 겨우 정 장인만 남았다. 그는 전남도 옹기장이 장인으로 지정

되었다. 국가 중요 무형 문화재 96호. 우리 것을 사랑하는 사람들이 더러 방문하고, 지방 관서에서 관심과 재정적인 후원을 주는 덕에 그래도 대단한 자부심을 가지고 산다.

"문화재에 관심을 가진 사람들이 찾아오지라."

그의 입에서는 문화라는 말이 자연스럽게 흘러나왔다.

갯벌의 화가 박석규

그의 그림에 대한 진지한 자세에서 사람들은 구도자의 모습을 본다. 현대인들이 간직한, 자신감과 오만, 자기도취적이고 지적인 오만의 눈으로 그를 보면 조금은 현대인답지 않은 어수룩함이랄까, 세련되지 못하다는 느낌을 받을 수도 있을지도 모른다.

구성 작가인 그는 조선대학교 미술대학을 졸업하고, 화가로서 교육자로서 성심을 다하여 그의 세계를 구축해 왔다. 그는 프랑스에서 교환 교수로 활동하면서 깨달았던 그림에 대한 철학, 그리고 세계관에 대한 일대 각오를 통하여 과감히 작품 세계 변화를 모색한다.

보통 사람들은 이런 구실 저런 구실로 옹졸하게 폐쇄된 자기 세계만을 고집하는 터에 그의 과감한 작품 세계의 변신은 일대 사건이었다. 그러나 이를 계기로 화가의 작품 세계는 진정 새롭게 거듭났다. 사람들은 세상의 사물을 접하는 그의 진정성 있는 태도와 강인하면서도 도도히 흐르는 질긴 삶, 생명력을 그의 그림을 통하여 접하게 되었다. 갯벌을 통해, 우리 주변 보통 사람들의 소박한 꿈과 자세를 통해, 사람들이 꿈꾸는 새로운 이상 세계를 발견하게 된 것이다.

그와의 만남은 그의 작품의 주요한 무대가 되었던, 그리고 그의 미술 연구소가 있는 전남 함평군 서성리, 폐교된 초등학교를 개조해 만든 개인 화실에서였다. 그의 작품 세계의 무대인 갯벌은 바로 가까운 거리에 있었다.

사람들은 그림을 왜 그리게 되지요?

자기 표현이라고 생각합니다. 자기의 철학 인생관이 바로 그림으로 표현된다고 생각합니다.

그림을 보면 변신을 통한 끊임없는, 그림의 본질에 대한 작가 나름의 추구가 있는데요?

사실 젊은 시절에는 그림은 향토적이고 자연주의적인 그림 세계를 추구했습니다. 그러나 70년대를 거치면서, 우리 사회의 민주화 투쟁과 맞물려, 순수 예술의 속에만 안주할 수 없겠다 하는 고민이 있었지요. 당시의 제 그림을 보면 현실 참여적이고 비판적 성향의 모습이 많이 보입니다. 그러나 제가 프랑스에 있을 때에 느낀 점이 많았어요. 예술의 본질은 결국 인간의 내면에 존재하는 그 의의를 추구하는 것이라 여기게 되었지요. 이때 저는 탈춤을 소재로 한 그림을 많이 그렸습니다.

아, 그때의 그림이 생각납니다.

가면을 쓴 사람의 위선적인 모습이 바로 자신일 수도 있고, 우리 모두의 모습일 수도 있다고 생각했지요. 그리고 80년대까지도 민중의 염원인 민주화와 투쟁을 통한 삶의 양식에 대한 저의 믿음이 제 작품 세계를 만들고 있었지요.

그랬지요. 그런데 90년대 들어와 화가의 작품의 세계가 갯벌에 얽힌 사람들의 삶을 통하여 대 변신을 하게 되지요?

그렇습니다. 우리들이 무심코 보아 넘겼던 갯벌에 삶을 의지한 사람들을 통하여 우리 삶의 소중함과 위대함을 절감하게 되었지요. 그게 바로 지금까지 제가 추구한 작품 세계였습니다.

갯벌은 보통 검게 보이는 것이 정석인데, 화가의 그림에는 다른 모습이 보이지요?

그렇습니다. 갯벌의 미학이지요. 갯벌은 시간에 따라 계절에 따라 그 모습이 많이 다릅니다. 한 색깔로 한 형태로만 치부할 수 없는 위대한 갯벌의 세계가 엄연하게 존재하고 있지요.

사람들이 무심코 지나친 갯벌에 대한 화가의 미적인 추구는 놀랍습니다. 하지만 그 아름다움에 대한 추구가 쉽지는 않았으리라 생각합니다.

수소문하여 벌교 지방의 갯벌이 광활하고 아름답다는 소식을 듣고, 자주 갔지요. 갯벌에 묻혀 살아야만 본질적인 아름다움을 느낄 수 있으리라는 신념에 거기에서 일하시는 분들과 격 없이 지내도록 많은 노력을 했지요. 많은 에피소드가 있습니다.

그림을 보면, 자연 가운데 생활하는 여인들의 투쟁력과 진지함이 바로 느껴집니다.

그렇습니다. 그분들의 소박한 삶에 대한 강인함은 생명에 대한 경외심을 불러일으킵니다.

개인적인 질문 하나 하겠습니다. 아드님, 따님이 그림을 하지요?

아들은 프랑스에서 미학을 전공했지요. 박사과정을 마쳤습니다. 딸은 대학에서 미술을 전공하고, 현재는 미술교사로 있지요.

화가의 곁에 밀물과 썰물을 함께하며 숨 쉬고 있는 저 뒤편의 갯벌처럼, 무궁한 작품이 많이 나오기를 기대합니다. 오늘 만남에 감사드립니다.

1996.

생활유물 수집가 박현순 씨

그를 기억한 것은, 오래전이었다. 우연하게 함평 땅에 사는 분 가운데 이제는 사람들에게서 버려진 우리의 생활 유물을 수집하고 있는 이가 있다는 소문에 참 대단한 사람도 있구나 하는 생각 들었다. 그것도 도시가 아닌, 일손으로 바쁠 농촌에서 사는 분이 어떻게 그러한 생각을 하셨을까 하는 호기심도 들었다.

역시 생각한 대로 박현순 씨(63)는 텁텁하면서도 견실한 우리 농촌의 일꾼이었다. 꽃 농사가 주업이라는 그를 찾으니, 마침 전시관 앞에 있는 식당에서 점심을 들고 있었다.

반갑습니다. 궁금한 게, 어떻게 그러한 생각을 하시게 되었는지요?

70년대 새마을 운동이 한창일 때였지요. 지붕 개량이네 어쩌네 할 때, 사람들은 집에서 대대로 사용하던 물건들을 미련 없이 버리더군요. 조상의 얼과 손때 묻은 물건을 내팽개치는 것을 보고, 이래서는 안 되겠다, 싶었지요.

그랬군요, 그런데 주위 분들, 특히 부인께서는 이해하시던가요?

물론 처음에는 이해를 못하고 괜한 짓을 하는 양 보더군요. 물건이 늘어날수록 집안이 협소해졌어요. 다행히 제가 비닐하우스 농사를 짓기 때문에, 그 한 동을 비워 보관 창고로 사용했지요.

현재 몇 점이나 되시지요?

1만여 점이 되는데 여기 전시관에 나와 있는 것은 아주 일부에 불과합니다. 나머지는 학교 교사로 사용하던 창고에 보관했지요.

여기 물건은 주로 어느 지방에서 가져온 것들입니까?

함평을 중심으로 영광·무안·장성 그리고 전국적에 걸쳐 가져왔습니다. 수집할 때 많은 이야기가 있지요.

전시관이 금년에 설립되었나요?

금년 4월에 생활유물 전시관이라는 이름으로 문을 열였습니다. 이석형 함평군수께서 많은 관심을 가지고 계시다가, 적극적으로 이를 추진하여 주셨지요. 함평의 성공한 축제인 나비축제와 연계하는 문화 관광 사업의 일환으로 말입니다.

그러면 그 오랫동안 애써 수집한 유물들을 그대로 함평군에 기증하신 것인가요?

유물이 너무 많아지니, 보관 문제가 제일 문제가 되거든요. 도난, 화재의 염려도 있고요. 그러나 제가 수십 년 동안 수집한 이 유물들을 우리 것에 관심을 가지고 있는 많은 분들이 감상하고 이해할 수 있도록 하는 게 옳다고 여겨 결심을 했습니다.

그랬군요. 이곳에서 얼마나 오래 사셨습니까?

6대째 살고 있지요. 조부께서 한학을 하시어 많은 서신을 가지고 계셨는데요. 제가 지금 보관하고 있지요.

역시 남다르시군요. 수집하는 일은 아무나 하지는 못하지요.

조상들의 삶의 과정이 곧 우리의 삶에 이어졌지요. 그런데도 이를 완전히 무시하려는 그러한 세태가 너무 안타깝고, 또 도리도 아니지요.

가족 사항은 어찌 되십니까?

4남매를 두었는데 두 딸은 서울에서 간호사로 일하고 있고요. 아들 하나는 여기 전시관에서 아버지의 유물을 관리하는 직책으로 근무하고 있지요.

생활 문화는 사람들이 무심하기 십상인데, 우리의 얼이 담긴 물건에 관심을 갖고 지켜주시는 노력을 해 주시다니, 진심으로 감사를 드립니다.

낙도의 지식인 장남세 씨

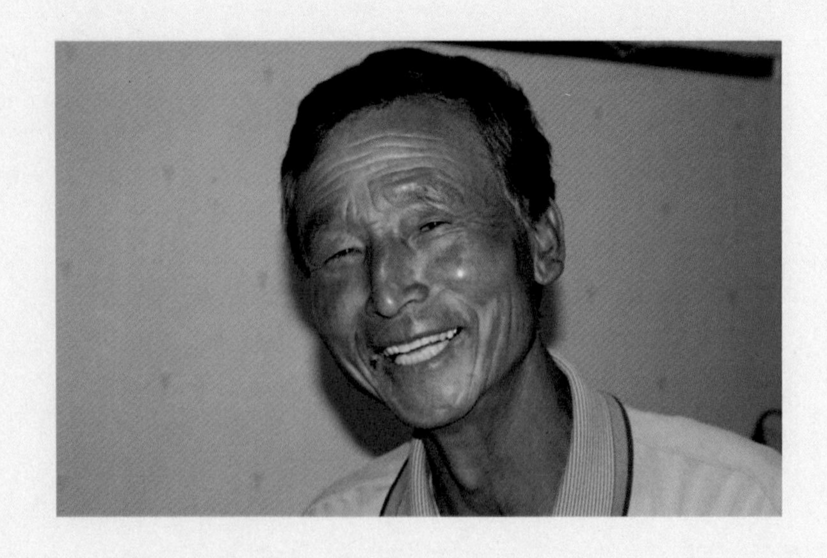

남해의 작은 섬 모도. 사람들은 그 이름조차 잘 모른다. 학생 총 수가 3명인 이곳 초등학교의 교정은 넓고 훌륭했다. 선생님 한 분이 이 아이들을 가르친다고 한다. 마을 앞의 바다를 바라보면서 자란 아이들의 꿈은 무엇일까. 이제는 육지로 이사를 가서 볼 수가 없는 이웃집 철수나 영식일까. 순이는 어데서 무얼 할까. 서울로 이사 간 삼촌이 너무 보고 싶다.
그러나 저 바다를 건너 그들이 갔다는, 뭍으로 가는 일은, 그렇게 쉬운 일이 아니다. 이 아이들을 가르치는 선생님의 고뇌는 또 얼마나 깊었을까. 바닷가 언덕 위 마을은 저녁노을을 맞이하고 있었다. 여기저기 보이는 마을 집들의 모습에서, 그 누가 바다의 낭만을 노래하며, 그 누가 바다와의 연정을 꿈꿀까.

남해의 작은 섬 모도. 사람들은 그 이름조차 잘 모른다. 학생 총 수가 3명인 이곳 초등학교의 교정은 넓고 훌륭했다. 선생님 한 분이 이 아이들을 가르친다고 한다. 마을 앞의 바다를 바라보면서 자란 아이들의 꿈은 무엇일까. 이제는 육지로 이사를 가서 볼 수가 없는 이웃집 철수나 영식일까. 순이는 어데서 무얼 할까. 서울로 이사 간 삼촌이 너무 보고 싶다.

그러나 저 바다를 건너 그들이 갔다는, 뭍으로 가는 일은, 그렇게 쉬운 일이 아니다. 이 아이들을 가르치는 선생님의 고뇌는 또 얼마나 깊었을까. 바닷가 언덕 위 마을은 저녁노을을 맞이하고 있었다. 여기저기 보이는 마을 집들의 모습에서, 그 누가 바다의 낭만을 노래하며, 그 누가 바다와의 연정을 꿈꿀까.

마을 언덕을 넘어서자 그의 집이 있었다. 섬에 있는 다른 집들과 마찬가지로 체색 된 함석지붕의 자그마한 실내 공간이다. 부인과 함께 이 집에 살고 있는 장남세 씨. 오랜 섬 생활에도 그의 얼굴에서 절망이나, 궁핍한 모습을 찾아보기 어려웠다.

서 모도리의 이장을 오랫동안 하며, 마을을 어떻게 하면 살기 좋은 생활 터로 만들까 궁리하는 것이 그의 꿈이었다고 한다. 또한 청산농협 이사 와 완도군 환경연합에 관여하면서도 내 고장의 발전을 위하여 애를 썼다. 이곳에서 태어나 초등학교를 마치고, 부산으로 이사를 가 한동안에 거기서 살았다고 한다. 고등 교육까지 그곳에서 마치고 생활하다가, 고향으로 다시 돌아와 자리를 잡은 지 오래되었다.

수구초심이라는 말이 있던가. 그는 독실한 크리스천이다. 이곳에 있는 교회에서 매일 기도를 드리며, 사람의 쓸데없는 욕심일랑 바다에 버리고 살려고 애를 쓴다. 바다는 그의 삶에 어머니와 같은 존재였다. 마을의 공동 어장인 앞 바다를 소안도 사람들에게 빌려주고 분배되는 조그마한 돈, 그리고 많지 않은 농사 수입이 생활자금의 전부다.

마을 바다에서는 고기가 잘 잡히지 않는다. 물고기 씨가 고갈된 지 오래다. 그러나 그는 이 생활에 만족하면서 산다. 가족은 딸 넷에 아들이 하나, 청산도 보건소에 근무하고 있다.

그의 기도 때문일까. 모두가 열심히 그리고 행복하게 살고 있다고 한다. 부인이 끓여 내놓는 차를 마시면서, 그가 섬의 여기저기서 모아 진열해 놓은 수석을 구경한다. 이러한 섬에 저런 아름다운 수석들이 숨어 있다니, 감탄할 수밖에 없다.

그 옆방에는 그의 서재가 있다. 책 분야는 정치, 경제, 문학, 종교 등 다양하다. 젊은 시절 문학도였던 그가 읽었던 많은 책 가운데 미래학 서적까지 있었다. 낙도의 지식인인 그의 삶에는 항상 꿈이 묻어 있었다. 젊은 사람들은 깡그리 뭍으로 가 버리고, 이제는 노인들의 천국이 된, 섬에 이렇게 팔팔한 정신으로 다른 섬사람들에게, 희망을 주는 그의 활짝 웃고 있는 모습을 바다는 오늘도 보고 있을 것이다.

이 낙도의 학구열은 알아주었다고 한다, 국회부의장을 지낸 최영철 씨며, 전남대학교 의과대학의 서순팔 교수가 여기 출신이라고 한다. 이 섬 출신의 선배들에 대한 대단한 긍지를 지니고 있었다.

그가 좀 더 젊었으면 얼마나 좋을까 하는 아쉬움이 있다.

그러나 어쩌겠는가. 새로운 제2의 장남세 씨 같은 사람들이 이 섬 저 섬에 많이 나타나기를 바라고 싶어진다.

낙도의 사회복지사 한재성 씨

낙도에서 만나는 사람들은 왜 이리 반가울까, 육지와 떨어져 사는 사람들의 마음 저 밑바닥에 널려 있는 고립감으로 인해 외지의 사람을 보면 더욱 반가운 생각이 드는지도 모른다.

한재성 씨(27)의 고향은 이곳이 아니다. 그는 뭍인 목포에서 태어나고 자랐다. 대학까지 그곳에서 다닌 순수한 유달산 밑의 토박이인 셈이다. 어렸을 때부터 독실한 기독교 신자다. 이곳 진도군 조도면에 부임한 지가 1년 3개월. 9급 공채시험에 합격하여 이곳 섬으로 발령을 받았을 때는 솔직히 좀 심란했다고 한다. 그러나 요즈음 같은 취직난 가운데서 전공인 사회복지사의 꿈을 살릴 수 있는, 자리여서 그는 하나님에게 감사했다고 한다.

1남 1녀의 장남인 그는, 낙도에 근무한 선배들의 조언도 있고 하여, 틈나는 대로 정보처리사 공부와 한자급수 공부를 하고 있다고 한다.

낙도에 사는 사람들이 대부분이 노인인데, 이분들의 복지 혜택에 대한 일선에서의 애로는?

수급자 정도를 결정할 때입니다. 분명히 규정상으로는 해당이 안 되는데, 실질적으로는 너무 어려운 처지에 있는 노인들이 있어, 이럴 수도 저럴 수도 없는 난처하고 안타까운 경우가 있습니다. 지금의 다도해 섬은 처지가 비슷하지만, 수입이 형편없이 줄어들고 있어 가난하지요. 젊은 사람들이 모두가 육지로 나가 섬에는 대부분 노인들이 남아 있습니다. 이분들이 농사를 짓고 계시지만 힘들지요. 더군다나 그전에는 바다에서 고기를 잡아 주민소득에 큰 보탬이 되었는데, 노인들이 어떻게 바다에 나갑니까. 그리고 이젠 바다도 그전과 달리 어족이 많이 고갈되어, 잘 잡히지 않는답니다.

7월부터 장기 요양 제도가 시행되는데, 이곳 섬서는 몇 분이나 신청되었나요?

15분인데 아직도 이 제도에 대하여 잘 모르시는 분들이 있는 것 같아, 요양 제도를 알리고 이용하시도록 노력을 하고 있습니다.

이곳은 다도해 해상공원으로 지정되어 관광 사업이 관심을 받고 있는데, 문제점이 있다면 무엇이라 생각합니까?

대교가 완성된 후로 관광객이 많이 늘어난 것도 사실인데, 제일 큰 문제는 육지에서 오는 관광객이 바라는 만큼의 수준 있는 식당이 없고요. 숙소가 마땅치 않은 것입니다. 여기에 대규모 투자가 된다면, 관광 사업은 훨씬 활성화되리라 봅니다.

현재 이곳의 제일 높은 산인 돈대봉에 있는 전망대와 등대, 그리고 대교를 잘 살리는 방법 이외에 다른 계획이 있을까요?

4억 원을 들여 전망대를 확충할 겁니다. 또한 관매도에 대규모의 야외음악당을 만들어 바다와 섬의 조화 가운데 음악을 곁들인, 환상적인 섬 여행의 진수를 보여 준다는 계획이 추진되고 있어, 불원간에 시행될 것입니다.

이곳에서 나는 특산품 자랑을 좀 해 주신다면?

톳미역은 예부터 진도 미역이라 하여 전국적으로 유명했지요, 이 외에 전복과 갑오징어 등이 유명하여 식도락가들이 잘 찾습니다.

퇴근 후에는 문화적인 공간이 너무 없는 지금과 같은 생활을 어떻게 이겨 내시지요?

낙도에서 일하는 분들 누구나 겪고 있는 어려움이지요. 저는 가족이 없으나, 학교 다니는 자녀가 있는 분들이 이중 살림을 하면서 고생하시는 모습을 보면 안타까워요. 가족과 떨어져 생활하는 게 그렇게 어려운 일인 줄 저도 전에는 몰랐어요. 더욱 힘든 것은 공허감이랄까, 단절감이고 할까요. 자기를 이겨 나가는 정신력이 중요한 것 같습니다.

요즈음은 그래도 전화 텔레비전, 인터넷이 섬의 곳곳에 통해 그전보다는 훨씬 수월하지요? 생활은?

그렇습니다. 전에 계셨던 선배분들, 정말로 존경스럽습니다. 말할 수 없는 고생들을 하셨더라고요. 봉급이 나와도, 섬에서 쓸 일이 있나요. 조금은 저축도 하고요. 그럭저럭 배드민턴 운동도 즐기면서 지내지요. 기거는 관사에서 합니다.

아무튼 이런 낙도에서 소외된 노인분들의 삶에 많은 도움이 되는 일을 해 주시기를 바랍니다.

최선을 다하려고 합니다. 남을 돕는 일이 쉽지가 않지만, 저는 하나님의 도움으로 제가 할 수 있는 일을 꼼꼼하게 챙기면서, 이 섬의 주민을 위하여 국민의 심부름꾼으로 일하겠다는 자세로 열심히 하려고 합니다.

이 섬에도 저녁은 빠르게 온다. 몇 음식점을 제외하고는, 적막 속으로 섬마을은 어둠과 함께 잠기고 있다. 그러나 새 날은 틀림없이 또다시 올 것이다. 이 젊은이의 알찬 꿈이 실현되기를 기다려 본다.

종이 공예가 오석심 씨

9월 5일부터 11월 9일까지 거의 3개월에 걸쳐 열리고 있는, 광주국제 비엔날레 미술 전시회는 한창 물이 올라 있었다. 관람하는 사람이 생각보다 많았다. 외국인 관람객도 드문드문 보인다.

이 비엔날레의 전시물 대부분이 현대 미술의 진취적인 작품들이라 일반인들은 조금 부담스럽다고 느끼기도 한다. 그러나 해가 갈수록 호응도는 높아지고 있고, 해외의 다른 국제 비엔날레 가운데서도 비중 있는 미술 대전으로 떠오르고 있다고 한다.

오석심 씨는 민속 박물관의 체험관에서 종이 작품 전시회를 열고 있었다. 전시물의 다양화를 통하여 여기에 오시는 감상객들의 즐거움을 더 하기 위해 주최 측의 요청에 따라 2년마다 개최되는 이 국제 미술 대전에 계속 참여하고 있다고 한다.

그는 영국 옥스포드 월담 갤러리 그리고 중국 운남 대학 초대전에 참여하여 많은 찬사를 받았다. 그리고 현재는 대한민국 미술대상전 추천 작가로 활동하고 있다.

안녕하세요. 작품이 정말 많습니다. 그동안 많은 열정을 쏟으신 것 같습니다. 어떤 계기로 이런 종이 공예를 하시게 되었는지요?

글쎄요. 70년도 후반쯤 되었을 때, 어렸을 때 보았던 탈을 생각했고, 종이를 통해 무언가 자신을 나타내 보고 싶었습니다.

역시 작가는 젊은 시절에 어느 동기로 점화되어 예술 활동을 하는 경우가 대부분이군요. 종이는 한지를 주로 쓰십니까?

그렇습니다. 한지를 주로 사용하는데요. 일반 종이, 즉 폐지도 많이 활용하고 있지요.

오늘 작품들을 보니 색상이 아주 곱고 단아한 느낌입니다. 물감은 어떻게 하시는지?

황토나 아크릴물감, 그리고 건축 자재인 물감까지 다양하게 사용하고 있습니다. 종이를 이용하여 조소 기법이나 전지 기법 등 다양한 방법으로 작품을 만들지요.

그러시군요. 보통 사람들에게는 종이 공예가 좀 생소한 감이 드는 것도 사실입니다.

이 작업을 하면 할수록 행복합니다. 종이가 아름다운 변신을 통하여 작품으로 탄생했을 때의 작가의 기쁨이랄까 흐뭇함을 어떻게 표현할지……. 행복하지요.

처음부터 미술을 전공하셨나요?

아닙니다. 다른 분야를 공부했지요. 그래서 종이 공예를 하는데 애로가 많았어요. 기본적인 그림에 대한 기법이나 공부를 처음부터 해야 했지요.

예술 활동을 하는 그 자체가 자기를 발견하는 일차적 작업의 일환이라고 생각하면, 자신이 어디서부터 와서 어디로 가는가 하는 물음도 어느 날 갑자기 생긴 경우가 많지가 않을까 생각합니다.

그렇습니다. 제가 어쩌다 이렇게 어려운 길에 접어들게 되었나 하는 회의감도 때로는 들곤 하나, 이 길이야말로 저의 정체성을 밝혀가는 외로운 길이라고 여깁니다.

애로점도 많지요?

한두 가지가 아닙니다. 그러나 가장 큰 애로는 한지가 대부분이 중국에서 수입된다는 겁니다. 말이 한지이지 우리의 한지가 남의 나라 종이화하고 있다는 점입니다. 이를 정책적으로 지원하여야만 비로소 한지의 정체성과 가치를 되찾을 수가 있습니다. 이에 따르는 경제적인 애로는 이 분야의 작가들이 모두 만나게 되는 어려움이지요.

가족사항을 물어도 될까요?

1남 1녀가 있어요. 남편은 대학에서 강의를 하고 있습니다.

이렇게 즐거운 공간에서 아름다운 작품을 보여 주신 작가분께 감사드립니다. 2년 후에는 더욱 알찬 작품을 보여 주시기를 기대합니다.

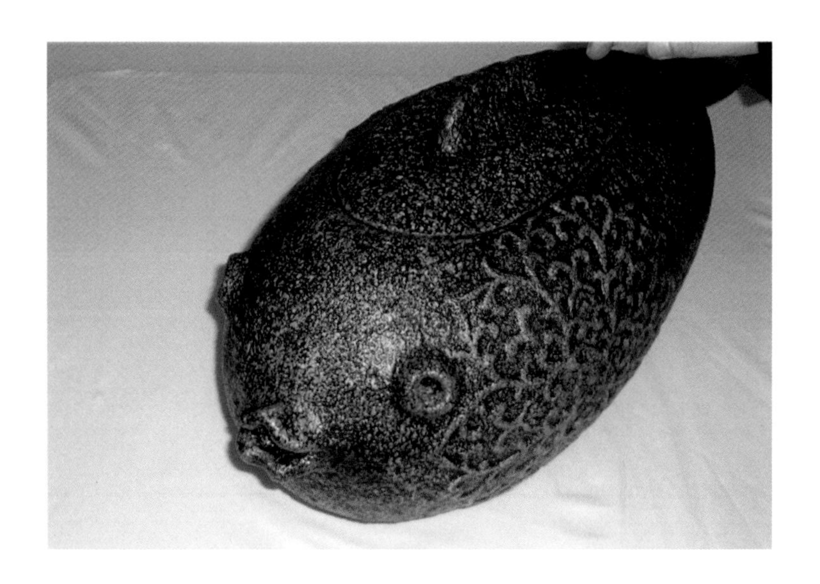

유람선 선장 임영이랑 씨

오늘은 오후 1시에 선유도로 가는 유람선이 떠난다고 한다. 요즈음은 경제 사정 때문인지 당최 손님이 없다고 한다. 오랜 바다 생활에 그을린 그의 얼굴은 나이에 비해서 비교적 깐깐하다. 금년 68세라는 나이가 믿어지지 않을 정도다.

그가 바다를 접하고 생활하기가 50여 년 반세기다. 세월이 아무리 무상하여도 거기에 따른 여러 애환은 지금도 그의 가슴에 생생하게 남아 있다고 한다.

처음 바다 생활하게 된 계기랄까, 시작은 어찌 되십니까?

저는 포항에 있는 수산전문학교를 들어갔어요. 배를 타고 싶어서요. 졸업 후에는, 당시가 원양어업이 갓 피어나기 시작한 시절이라, 남태평양의 사모아섬 부근의 바다와 아프리카의 라스팔마스 부근의 해역에서 고기 잡는 배를 탔지요. 배 타는 일이 지겨워지기 시작하여 고향인 경주에 돌아와 오징어잡이 어선을 탔지요.

아, 그러셨군요. 그런데 또 어떻게 유람선 선장이 되셨는지요?

90년도에 저를 인정해 주시던 분이 유람선을 같이 운영해 보는 게 어떻냐 권유하셨는데, 그 권유에 못 이겨 선유도를 오가는 배의 선장 노릇을 하게 되었지요.

그럼 군산 앞바다의 선유도 유람선의 개척자인 셈이네요?

그렇습니다. 당시에는 누구도 생각하지 못한 일이지요. 이제 이곳은 전국적으로 알려진 명승지가 되어 시즌이 되면 수많은 관광객이 찾고 있습니다.

세태에 따라 인심도 많이 변하였지요?

물론이지요. 그전만 해도 여기에 놀러온 분들에게는 그래도 여유가 있고, 낭만이 있었던 것 같아요. 이해하고 서로 협조하려는 마음이 있었지요. 그런데 지금은 조금만 잘못되었다 하면 난리고, 항의를 하지요. 거친 세상이 된 것 같습니다.

일하면서 느끼는 보람이 있으시다면 어떤 것입니까?

선유도는 서해의 고군산도 24개의 섬 가운데 하나지요. 4개의 섬으로 군을 이루고 있습니다. 지금은 다리로 연결되어 있습니다. 해안이 절경이고, 인심이 후하여, 여기 오시는 분들은 대부분 만족합니다. 그게 보람이죠.

생활은 어떠십니까?

진즉 상처를 하고, 현재는 27세 된 아직 출가하지 않은 딸과 함께 생활하고 있지요. 제가 언제까지 이 생활을 할는지 모르나 바다와 함께 생활할 수 있다는 그것이 행복합니다. 또한 손님들과 대화를 나누다 보면 따뜻한 마음을 가진 분들이 의외로 많지요. 세상은 살면서 배운다는 말이 정말인 것 같아요.

다시 태어나도 유람선 선장을 하실 테지요?

글쎄요. 그러나 큰 후회는 없어요. 자기에게 주어진 일에 항상 감사하고 최선을 하는 게 사람의 행복이 아닐까요.

이야기를 하고 있는 바닷바람에 그을린 그의 얼굴을 본다. 변화하고 있는 세상 인심에 시달린다 해도 결코 희망을 잃지 않는 그의 표정에서 또 하나의 인생살이를 발견한다.

사진을 찍으니 웃으라는 말에도, 그의 표정은 여전히 심각(?)하다. 오랜 바다 생활과 세상 풍파가 그러한 모습을 만든 것일까.

흑산도 홍어 할머니

이 할머니(김정진 씨)의 정확한 직책은 흑산도 두떼 상회의 사장이다. 두떼는 성경 창세기 32장에 나오는 말씀이라고 한다. 아는 목사님이 상호를 지어 주었다고 한다. 흑산도에서 나는 특산물 어종 홍어를 도매하는 장사를 시작한 게 거의 20년이 되어 간다고 한다.

홍어가 가장 많이 잡히는 계절은 8월부터 그 이듬해 4월까지다. 2, 3년 전만 해도 홍어는 수확량이 줄어들어 부르는 게 값이었다. 요즈음은 그래도 값이 많이 내린 편이다.

할머니, 홍어를 맛있게 먹으려면 어찌해야 합니까?

흑산도 홍어는 껍질을 벗기지 않아도 먹을 수가 있어요, 제일 맛 좋은 부분은 역시 콧잔등. 입에 넣으면 얼큰하고 맵싸한 맛이 최고지. 다음은 아가미 근처, 이 부분의 살은 항암 효과가 좋다고 한다니까. 그리고 남자의 양기에는 생식기 부근의 아래로 쭉 뻗은 부위가 최고지. 암치(암컷) 와 수치(숫컷)의 맛에도 차이가 있지, 암치는 살이 더 풍부하고 보드랍고, 수치는 날개가 많고 맛이 더 떨어지지. 그래서 암치 홍어를 더 알아주지. 물론 가격에도 차이가 많고…….

홍어 삼합이란 무엇이지요?

알기는 아는군. 홍어와 삶은 돼지고기, 그리고 김치 이 셋이 궁장을 이루어 최고의 맛을 내지. 여기에 막걸리 한 사발을 걸치면 이 세상사 모두 내것이란 말잉께. 두말하면 잔소리제.

예부터, 홍어의 애를 많이들 찾던데요?

그려. 그것은 항암 항균 효과가 최고로 좋다고. 교수님이 연구 결과를 내놓았당께. (여수대학교 생명공학과 임현수 교수가 발표한 홍어에 대한 연구 결과를 말씀하고 있었다. 임 교수팀은 홍어의 뇌와 표피에는 항균 효과, 내장은 항암 항고혈압, 살은 항암 효과와 항산화 효과, 그리고 날개, 즉 연골에는 항암 효과가 있다고 했다.)

홍어는 어떻게 숙성을 하지요? 생생한 것으로는 잘 못 먹겠던데?

홍어를 삭히려면 섭씨 10도에서 5일간, 20도에서는 4일 정도를 지나면, 알맞게 숙성이 되지. 그때는 비린내도 덜하고 똑 쏘는 홍어의 진미를 맛보게 된당께. (암모니아기 만들어져 쏘는 맛을 낸다.)

이 말을 해야 하나 안 해야 하나 망설이다가 묻는데, 중국산이나 칠레산 홍어하고는 어떻게 구별하지요?

(그러나 할머니는 기분 나빠 하지도 않고 설명한다.) 외국에서 들어온 홍어는 그 색깔이나, 흑산도 홍어에 비교하여 비린내 등으로 쉽게 구별되지. 그리고 흑산도 수협에서는 정말로 엄격히 이들 외국산의 섬으로의 반입을 철저히 막고 있어. 이곳 홍어와 섞일 수가 없당께. 만약 그러한 경우가 한 번이라도 있게 되면 흑산도 홍어의 명성은 끝이야. 그래서 이곳 판매상이나 수협, 그리고 나라에서도 눈에 불을 쓰고 감시하고 있응께, 안심해도 되지라우.

지금 홍어를 잡고 있는 사람은 몇 분이나 계십니까?

얼마 전까지 아홉 집이었으나, 지금은 줄어 일곱 집이지, 한 번 출어하는 데 많은 돈이 들고, 잡히는 물고기 량은 줄어들고 하여 어떤 경우에는 어렵지라우. (독실한 기독교 신자인 김 할머니는 오늘도 천직으로 여기는 홍어 판매를, 딸 부부와 함께 열심히 하고 있었다.)

마지막으로 묻겠습니다. 주부들이 홍어를 요리하는 데 애를 먹는데, 특별히 편하게 할 수 있는 방법은?

콧잔등의 양쪽에서 아래로 직선으로 칼질을 하고 내장을 조심스럽게 꺼낸 다음에 날개 쪽으로 조심스럽게 몇 개로 나누어 칼질을 하면 되제.

요즈음 젊은 사람들은 이 물고기 맛을 잘 모르던데요? (마지막 질문 다음에 이를 꼭 묻고 싶었다.)

홍어의 진짜 맛을 모릉께 그런당께. 맛은 자꾸 맛보아야 알 수가 있지. 보릿국에 흑산 홍어의 애를 넣어 끓이면, 그만이야. 모르면 부모님들에게 한번 물어보라고 해. 요즈음 사람들은 눈앞에서 불이 번쩍 나는 그러한 자극적인 것만 좋아하는데, 이건 문제야. (속으로 '그래, 문제야.' 한국적인 맛을 점점 잃어 가는, 우리의 현실이 떠오른다. 그러나 지금은 뉴욕에서, 파리에서, 런던에서, 한국의 김치가 인기를 얻고 있듯, 흑산 홍어도 그렇게 인기를 얻는 날이 꼭 오리라 생각된다.)

시리도록 푸른 바다와 검은 나무숲으로 우람한 모습의 낙도인 흑산도는 어제의 강풍으로 뱃길이 끊긴 것을 벌써 잊었다는 듯이, 오늘은 자기의 본래의 아름다운 모습을 보여 준다.
그래, 어느 섬에나 나름의 아름다운 이야기는 널려 있게 마련이다, 사람들은 이를 주워 담기에 정신이 없다. 이를 기억에 걸고 즐거워한다. 이게 인생이다.

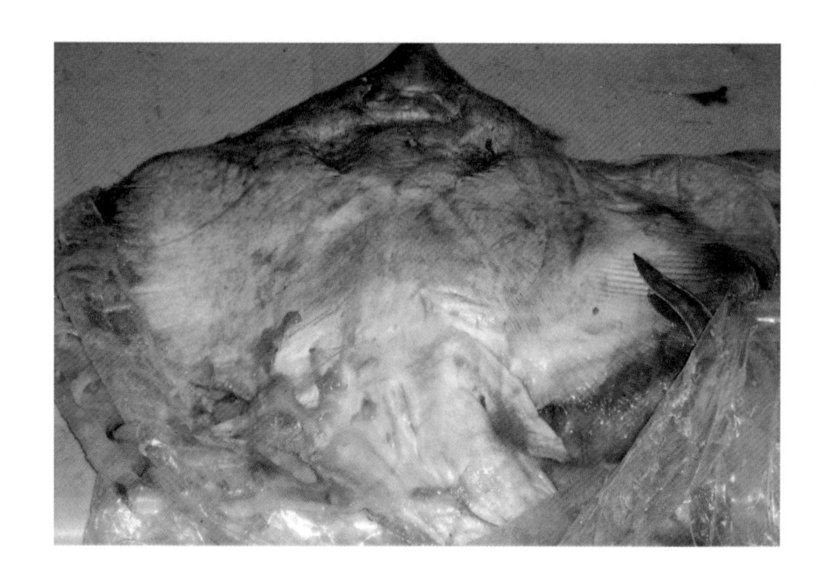

흑산도수협 중매인50호
두떼상회
홍어도매
건어물도매
T.061)275-9013 H.016-484-9013 010-7177-0547
담배
흑산홍어

풍어로 만선이 깃발을 달고 입항한 어선

흑산도 예리항의 모습

낙도의 건강 지킴이,
병풍도 보건 진료소 김영진 소장

병풍도 선착장의 초라함이란 기대하고 찾아온 사람에게는 실망 그 자체일 것이다. 그러나 이곳에 살고 있는 사람들과 풍경을 새로 접한다는 호기심에 약간은 설레는 마음이다.
처음 만난 병풍도 진료소 김 소장은 오늘도 바쁘다. 감기에 신경통이 도져 아파 죽겠다는, 할아버지와 할머니가 약을 달라고 조른다. 그녀는 광주기독간호대학을 졸업한 후에 바로 보건진료원으로 자원했다. 무의면이 많은 시절, 의료혜택을 받지 못하는 낙도나 오지에 사는 사람들을 위하여 간호사 가운데 지원자를 선정하여 파견한 것이었다.

다도해의 작은 섬인 병풍도로 가는 길은 멀기도 하다. 이정표에 적힌 킬로미터 수를 보면 멀기도 멀다. 서해안고속도로를 타고 목포로 향하여 달리다가, 함평 부근에서 무안공항 쪽으로 가는 고속도로로 갈아탄다,

긴 무안반도를 타고 양쪽의 마늘밭과 바다를 보면서 해제로 향한다. 군데군데 보이는 이곳 특유의 붉은 황토밭이 인상적이다. 그전에는 섬이었지만, 지금은 연결이 육지와 연결되어 있다. 육지로 된 내도를 지나, 사옥도지 신개선 착장에 도착한다.

바로 건너편에 바라보이는 섬이 증도다. 그 앞바다에서 고려자기가 무더기로 건져 올려져 유명해진 섬이다. 그래서 증도를 보물섬

이라 부른다. 지금은 엘도라도라 부르는 리조트가 만들어져 사람들을 부르고 있다.
이 증도에 배를 대고, 다시 떠난 배는 10여 분 후에 드디어 병풍도에 다다른다. 섬과 섬을 건너 달려온 이섬의 첫인상도 다른 다도해 섬과 비교했을 때 특별하지는 않은 것 같다.
섬 여행에서 마음에 두어야 할 것은 특별한 것을 기대하지 말아야 한다는 것이다. 비슷 비슷한 풍경, 비슷비슷한 삶을 사는 사람들의 모습 가운데서, 우리 자신의 삶의 모습과 우리가 존재해야 하는 이유와 가치를 새삼스럽게 느끼게 된다,
병풍도 선착장의 초라함이란 기대하고 찾아온 사람에게는 실망 그 자체일 것이다. 그러나 이곳에 살고 있는 사람들과 풍경을 새로 접한다는 호기심에 약간은 설레는 마음이다.
처음 만난 병풍도 진료소 김 소장은 오늘도 바쁘다. 감기에 신경통이 도져 아파 죽겠다는, 할아버지와 할머니가 약을 달라고 조른다. 그녀는 광주기독간호대학을 졸업한 후에 바로 보건진료원으로 자원했다. 무의면이 많은 시절, 의료혜택을 받지 못하는 낙도나 오지에 사는 사람들을 위하여 간호사 가운데 지원자를 선정하여 파견한 것이었다.
대학시절에 기독교 봉사 단체 회원이었던 그녀는 의료봉사 차 다도해의 낙도에 갔다가 낙도 사람들의 열악하기 짝이 없는 의료환

경과 삶의 실태를 몸소 경험했다. 이분들에 대한 봉사활동에 뜻을 가지게 된 것도, 어쩌면, 그녀의 독실한 신앙심 때문이었는지도 모른다.

학교를 졸업하고 6개월간 소정의 교육을 받고, 바로 발령을 받은 그녀는 다도해의 능산도를 찾아 나섰다. 1986년이다. 그 당시에는 목포에서 뱃길로 거의 5시간의 거리에 있는 하의도. 아무도 아는 사람이 없는 섬의 선착장에 내려 묻고 물어서 거의 한 시간을 쓸쓸한 시골길을 걸어 하의도의 새끼섬으로 다시 찾아가는 젊은 그녀는 막막하기 짝이 없었다. 23세의 꽃처럼 아름답고 꿈 많은 처녀였다고 한다.

자그마한 배를 타고 도착한 능산리라고 불리는 이곳은 인구 200 남짓한 섬이었다. 오늘날처럼 반듯한 진료소 건물이 서 있는 것도 아니고, 개인 집 한쪽을 빌려 명색상 진료소 간판을 달았다, 사람들은 젊은 처녀가 이 낙도까지 온 게 신기하고 이상하기도 한 듯 싶었다, 의사도 아닌 게 제까짓 것이 무얼 아나, 시집이나 가지 않고 지랄한다고, 이런 낙도에 와 사람 환장하겠네 하고 노골적으로 비웃는 사람도 있었다.

섬사람은 외지인에 그렇게 속마음을 선뜻 내보이지 않는다. 그러나 한번 마음을 열면 동기간 이상으로 가까워진다. 달랑 혼자 남겨진 그녀는 자신의 삶의 역정에서, 시작부터 밀릴 수는 없다는 결심에 다짐하고 또 다짐한다.

이곳에서 현대 의료의 혜택을 잘 받지 못하는 사람들을 가르치고 치료하고, 낙도 중의 낙도에서만 경험하는 온갖 어려움과 섬주민들을 위협하는 병마와 싸우기 3년 후, 그를 기다리고 있는, 다른 섬을 위하여 떠나게 된다.

그동안 겪었던 어려움과 마음고생은 다 말해서 무엇 하나. 그러나 이 섬은 다른 섬의 진료소들을 거쳐, 다시 부임하여 2년여를 더 근무하게 되면서 인연 많은 섬이 되었다. 이후 전남 신안군 안좌면 자라리의 인구 350명이 사는 섬에서 7년간 진료소 소장 일하며 현대적인 진료에서 낙후된 섬사람들을 위해 봉사하게 된다. 또한 같은 신안군인 인구 250명 정도인 선도에서 4년, 드디어 지금의 병풍도로 옮겨 온 후, 지금은 7년째다.

그러고 보면 김 소장은 신안군의 섬사람으로 살아온 지 오래되었으니 반쯤은 토박이인 셈이다. 그 세월 속에서 얼마나 이야깃거리가 많겠는가. 그러나 한마디 한마디에서, 인간의 내면에 쌓인 몸부림치는 외로움과 고뇌가 사무치지 않을 턱은 절대로 없을 것이다.

그 오랜 세월 동안에 여러 가지 에피소드가 많을 줄 압니다만, 가장 기억에 남은 일은?

1989년도이니 20여 년 전 일이지요. 그때는 민정당과 평민당이 피 나게 싸우고 있었습니다. 정치적인 화제로 다툼 끝에 야당이던 평민당 당원이 민정당 당원이 휘두른 칼에 찔렸지요. 복부 자상을 당한 그 사람은 창자가 밖으로 기어 나올 정도로 심했습니다. 여긴 무의면이라, 저 혼자 일하는 진료소뿐이지요. 어쩝니까. 창자를 밀어 넣고, 감염이 되지 않도록 소독약을 바르고, 출혈을 막기 위해 거즈로 틀어막고, 정신이 없었습니다. 어찌어찌하여 겨우 목포에 있는 병원으로 후송하여 다행히 그분은 목숨을 건졌습니다.

그런 일이 있었군요. 정말 침착하게 잘 처리하신 것 같습니다.

세상 일이란 그렇게 간단하지도 않다는 사실을 그때 또 깨닫게 되었습니다.

또 무슨 일지요?

다행히 그분이 목숨을 구했으니, 이제는 사람 구실을 할 수 있겠다 하고 잊어버리고 있었는데, 어느 날 그분의 부인이 아이를 등에 업고 동네 길을 지나다가 갑자기 이웃 담장이 넘어지는 바람에 사망하고 말았습니다. 아이와 함께였어요. 그때 참말로 세상 일이 얄궂고도 무섭구나 하는 생각이 들었습니다.

그런 일도 있었군요. 정말로 안타깝고 기구한 사연이군요. 그리고 환자 후송 처리와 치료는 어느 범위까지 가능한가요?

간단한 감기나 배탈, 그리고 기본적인 위생과 보건에 관련된 지도와 계몽과 투약을 하고요. 의사의 승인을 사후에 받고 있지요. 저희들이 투약할 수가 있는 약은 법으로 정해져 있지요. 99종류입니다.

진료실에 컴퓨터와 화상 모니터가 준비되어 있네요? 용도는?

목포에 있는 중앙병원과 전남대학교 화순병원과 연결되어 있지요. 이를 통하여 병의 진단과 치료 등을 지도받습니다. 저는 이런 일 저런 일 겪을 때마다 하나님에게 열심히 기도를 합니다. 저를 강하고 지혜롭게 하여 주시라고요.

이곳 진료소는 다른 곳보다도 훨씬 주민들과 잘 협조가 되는 것 같은데, 그 비법이라도?

다도해의 섬 가운데서도 이 작은 섬의 주민 거의 90% 이상이 기독교 신자입니다. 독특하죠. 때문에 서로를 잘 이해하고 돕지요. 보건진료소 운영위원회라는 조직이 있어, 진료소의 모든 문제를 주민들이 협의하고 있어요, 또한 마을에는 마을 건강원들이 있어 섬에서 발생한 전염병이나 건강 상태 등을 바로 연락하게 됩니다. 섬에는 자식들이 객지에 살아서 홀로 사는 노인들이 참 많지요. 이분들의 상태는 건강원들이 가장 잘 알아요.

다른 어려움은 없습니까?

주민들의 건강을 돌보랴, 심지어 사소한 개인들의 온갖 인생사 상담까지 하랴, 너무 바쁜 하루하루를 보내고 있어요. 그러다 보면 처리해야 할 행정적인 서류며 보고사항은 또 얼마나 많은지. 이런 문제를 좀 간소화하여 시간을 아끼고, 그 시간을 주민들을 위한 봉사시간으로 더 쓰고 싶어질 때가 있어요.

개인적인 질문 좀 해도 될까요? 가족사항이 어찌 되십니까?

광주에 가족이 있습니다. 아들과 딸 하나가 있어요. 아들은 서울종합예술학교에서 뮤지컬드라마를 전공했지요. 지금은 배우가 되어서 영화 작품에도 캐스팅되었어요.

오, 그래요? 반가운 소식입니다, 대성하기를 바랍니다.

이 섬을 떠나는 배 시간이 촉박하여, 더 이상 이야기를 듣고 싶어도 그럴 수가 없었다. 느림이 많은 섬의 생활이면서도, 사람들은 왜 그렇게 바쁘게 살아야만 하는 것인지.

대화를 하면서 그녀의 솔직한 답변에 그녀의 진실됨을 잘 알 수가 있었다. 신앙의 힘이 김 소장을 다도해의 여러 섬으로 인도하신 것이 아닐까 하는 생각도 들었다.

섬에는 슬픈 이야기도 많고 안타까운 이야기도 많으나, 강인하면서도 자기의 삶에 긍정적인 의미를 새겨 가며 사는 사람들의 이야기가 더 많이 있다.

이분들에게 행복이 깃들기를 바라며, 면사무소가 있는 형님 섬인 증도로 가는 배를 탄다.

낚싯배 선장 박길해 씨

그는 그 흔한 명함도 가지고 다니지 않았다.

고향 바다가 좋아서 다시 이곳으로 돌아온 사람. 박길해 씨(62)는 본래 우리나라 남쪽 끝자락에 있는 전남 강진군 마량면 사람이다. 집안 형편 때문에 공부를 더 이상 할 수 없게 된 그는 광주로 일을 배우러 갔다. 소개로 들어간 곳이 양복점이었다. 광주의 중심지인 충장로의 양복점에서 죽도록 열심히 일을 하고 기술을 익혔다.

그러나 도시생활이 맞지 않다는 걸 느끼고, 고향으로 돌아가기로 결심한다. 귀향하여 시작한 것이 낚싯배 선장 일이었다. 그때가 1992년 되던 해였다. 그동안 1남 5녀를 길러, 막내딸만 아직 출가를 하지 않고 대학을 다닌다고 한다. 바다에서 줄곧 지내는 박 선장과 바다낚시에 대한 이야기를 나눈다.

이곳 마량은 전국의 바다낚시꾼들에게 잘 알려진 곳이지요?

그렇습니다, 사시사철 전국의 조사들이 이곳으로 몰려들고 있습니다만, 특히 봄철과 가을에는 더 많은 분들이 모여들고 있습니다.

어종은 어떤 것들이 잡힙니까?

주로 돔을 중심으로 도다리 광어 숭어 농어들이 잡히지요. 여름에는 새벽 5시 전후에 출어를 하고 겨울에는 6시 전후가 되지요. 바다낚시는 물때가 아주 중요해서 여기에 잘 맞추어야 합니다. 단골 조사들께서는 낚시 철이 되면은 많은 문의를 하시지요.

그래요? 이곳 마량 앞바다를 중심으로 약산도 고금도 등의 바다에 물고기가 잘 잡히는 포인트가 있다고 들었는데?

대구 또 바다에는 돔, 도다리가, 용도리 내동바다에는 돔이 잘 잡히는 포인트로 자리 잡고 있지요.

멀리서 와서 많이 못 건져 올리면, 선장으로서 조금은 민망하던가요?

두 말할 필요가 없지요. 그래서 잘 잡히는 곳이 또 없나 하고 이곳저곳으로 배를 몰며 찾아다닐 때의 그 가슴 졸이는 긴장은 다른 사람들은 잘 모를 겁니다. 낚시도 물복이 있는 사람이 있어요. 낚시를 시작한 지 얼마 되지 않은 사람이 물때를 잘 만나, 가을철에 100여 마리의 돔을 올리기도 했습니다. 가을 물고기는 비교적 씨알이 작습니다. 봄에는 제법 큰 물고기가 잡힙니다.

이분들, 물고기를 잡아 올릴 때, 희열이 대단하지요?

두말할 필요도 없지요. 곁에 있는 저도 그렇게 즐거울 수가 없어요. 이 맛으로 이 일을 하고 있는지도 모르지요.

애로도 있지요?

세상에 애로 없는 일이 있겠어요? 서울에서 친구분들과 함께 들이닥치는데, 정원 초과 일 때가 제일 난처하지요, 낚싯배는 정원이 있어요. 경찰에서 엄격히 통제를 하고 있습니다. 안전 문제이지요. 그런데 함께 오신 분들은 마구 억지를 쓰지요. 정말 어렵습니다.

벌금도 있지요?

어기면 50만 원부터 100만 원의 벌금을 물게 됩니다.

이분들은 고기를 잡으면 어떻게 하던가요?

바다 한가운데 배 위에서 즉석으로 회를 떠서 드십니다, 싱싱한 회의 맛은 기가 막히지요. 그리고 조금 큰 물고기는 가족과 친구들에게 자랑도 할 겸 챙겨 갑니다.

마량에는 이런 낚싯배가 몇 척이나 있나요?

약 50척이 있지요. 본격적인 낚시 철이 되면 인근의 낚싯배들이 총동원됩니다.

바다 오염이 한동안 논란이 되었지요?

지금은 참말로 많이 좋아졌습니다. 여기 오시는 분들도 이러한 문제를 충분히 인식하고 있습니다. 쓰레기는 반드시 집으로 가져갑니다.

술은 좀 마십니까?

술을 즐기는 분들도 더러 있습니다만, 바다에서 술에 취하면 위험하지요, 그래서 조심들 하십니다. 술을 들고 어영부영하는 분들이 거의 없어요. 단속하는 분들도 술을 많이 먹은 것 같으면 어김없이 음주 측정을 합니다, 자동차 운전만 측정하는 것이 아닙니다.

바다낚시꾼들이 많이 늘어났지요?

10여 년 전과 비교하면 3배 이상 늘어난 것 같아요, 주로 직장에 계시는 분들이 많고요. 직장을 그만둔 분들도 더러 옵니다.

그분들 낚시를 하는 변을 무어라고 하던가요.

생활하면서 갖게 되는, 스트레스를 싹 바다에서 씻고 간다고 말합니다. 사실이지요. 해면을 대하고 무아의 경지에 있으면 바로 이게 신선이 된 기분이지요. 그래서 낚시를 도라고 하지 않습니까?

마지막으로 질문하겠습니다. 이곳 마량이 유명하게 된 가장 큰 이유는 무엇인지요?

이곳은 오염이 거의 없어요. 말 그대로 청정해역입니다. 그리고 이곳 물고기는 맛이 담백하고 아주 감칠맛이 난다고 이구동성 말하지요. 사실이 그렇습니다.

이런 생활에 만족하십니까?

항상 감사한 마음으로 즐겁게 살고 있습니다. 사람의 욕심이란 한정이 없지요, 바다와 늘 함께 생활할 수 있는 나의 삶이 나의 건강을 지켜주고, 즐거운 마음으로 일을 하니, 그것이 바로 행복이 아닐까요?

재현호 박 선장께 더욱 큰 행운이 있기를 바랍니다.

마량항은 이제는 단순히 항구로서 만족하지 않는다.
문화를 통한 감미롭고 꿈이 있는 항구를 꿈꾸고 있다.

해변에 훌륭한 야외음악당을 만들었다. 매주 토요일 저녁에는 가수들을 초빙하여
음악회를 연다. 외지에서 이를 보기 위하여 많은 사람들이 오고 있다고 한다.

가장 외로운 섬,
독거도의 사람 안인배 씨

80 평생을 다도해의 섬 가운데서도 가장 외로운 섬의 하나인 독거도에서 태어나 그곳에서 보낸 그다. 섬사람들 그 누구나 그리워하는 육지에 대한 동경이 왜 이분인들 없었겠는가. 그러나 그는 후회하지 않는다고 한다.

그는 운명을 믿는다. 옛사람들은 이를 팔자소관이라고 하였다. 안인배 노인.
독거도는 동경 126도 11분, 북위 34도 13분에 위치한다. 청등도 관매도 죽행도 슬도와 같은 작은 섬들로 독거군도를 이루고 있다. 외롭고 동떨어진 섬이다.
말 짓기를 좋아하는 사람들은 이 섬을 어찌어찌하여 한 번 다녀온 뒤로, 섬의 별명을 소설과 영화의 무대인 '빠삐용 섬'이라고 부른다. 남아메리카에 있는 지옥도라 불리며 죄수들을 가두어 두었던, 그 섬을 이렇게 아름다운 섬에 비교한다는 것은 도대체가 말이 안 된다. 아마 멀고도 멀리 바다 가운데 외롭게 있는 독거도란 섬의 이름을 빗대어 불쑥 지어낸 말일 것이다.
지난 세월을 안타까워하고 후회한들, 그 시간이 다시 돌아올 수 없음을 진즉 터득 한 그였다.
독거도는 아버지 섬인 전남 진도와 아들 섬인 조도에 딸린 자그마한 손자 섬이다. 그전에는 섬 인구가 통틀어 36명 정도였으나, 세월이 흘러 야금야금 서울과 광주 같은 도시로 사람들이 일자리를 찾아 떠나고 말았다. 지금은 17명이라고 하나, 실상은 12명 정도라고 한다. 이 작은 섬에 있던 유일한 초등학교인 독거 분교도 학생 한 명이 남더니 결국은 진즉 폐교되고 말았다.

그러나 이 외롭기 짝이 없는 작은 섬에도 교회는 있다. 목사님이 떠난 후 공석 중이던 마을 교회는 김성춘 목사님이 자진하여 부임하기 16년. 사람들은 저분이 얼마나 버틸까 하고 내심 염려했으나 지금도 여전히 열심히 사목 활동을 하고 계신다고 한다.

2년에 한번 있는 정기 건강검진을 받기 위하여 조도에 배를 타고 온 김 목사의 부인은 지금도 행복하다고 말한다. 정말일까 하는 회의감이 잠시 드는 것은 뭍에 살고 있는 속세의 사람들이다. 이분의 얼굴에는 역시 평온함이 깃들어 있었다.

이 섬에 전깃불이 제대로 들어온 것은 불과 5년 전이다. 낙도에도 사람이 살만한 보금자리를 만든다는 정책의 일환으로 이곳에도 소규모 발전소를 세웠다, 여기에 근무하는 한전 직원은 6명, 섬 주민의 거의 절반이나 되는 사람들이 주민들을 위하여 일을 하고 있다고 한다.

대한민국이라는 나라, 참말로 대단한 국가가 아닐 수 없다. 당장은 천국이 아니더라도 점차로 사람들이 희망을 갖고 살만한 나라가 될 것은 분명하다.

안 씨는 이렇게 말한다.

"옛날에는 석유등으로 생활하며, 전화가 있었는가, 텔레비전이 있었는가. 그저 낮에는 바다에 나가 죽도록 일만 하고 돌아와, 밤이면 피곤하여 쓰러져 잠을 자는 생활이었는데, 지금은 천국이야. 그러나 사람들은 아래도 보고 위도 바라보며 살아야 하는데, 모두가 위만 쳐다보며, 불평불만하는 세태를 보면, 이해하기가 너무 어렵지 어려워."

안인배 씨는 10년 전에 상처를 했다. 5남매를 키워 그런대로 최선을 다하여 고등학교와 대학도 보냈고, 이제는 서울에서 모두 살고 있다,

오랜 세월을 함께 동고동락했던, 아내가 차가운 겨울 바다 일을 하다가 뇌혈관이 터진 것이다. 당시만 해도 고혈압이 무엇인 줄을 잘 몰랐다. 나이 30의 노총각이 신부를 여기서 멀리 떨어진 다른 섬에서 어렵게 데려올 때는 가마를 배에 싣고 왔다고 한다.

이 말을 하는 안 씨의 눈에 이슬이 베인다. 낙도 가운데 낙도인 이곳에서, 최선을 다해 배를 얻어서 아내를 살리려는 소망으로 정신없이 서둘러 서울의 병원까지 찾아갔으나, 환자의 상태는 오랜 시간이 흘러 가망이 없다는 의사의 진단이 내려졌다. 결국 이 외로운 섬에서 서로를 아끼는 마음으로 지탱하며 살던 그는 하늘이 무너진 셈이다. 자식들을 다 객지로 떠나보내고 홀로 하루하루를 밥하고 빨래하고 살기 위해 바다 일을 해야 하는 그의 삶이 오죽했을까.

이곳에서 생산되는 멸치, 전복, 톳, 그 가운데서도 전국적으로 알려진 진도 미역의 성가는 바로 이곳 독거도 미역을 말한다. 겨울

에 포자를 심기 위하여 바닷물 속의 바윗돌을 깨끗하게 청소하고, 봄에는 미역이 마르지 않도록 물을 뿌려 준다고 한다,

5월부터 미역을 뜯고 말리는 작업을 할 때는, 서울에 사는 자식들이나, 외지인들이 와서 함께 일을 한다고 한다. 그 노력이 이만저만이 아니다. 미역을 거저 바다에서 건져 올려 수익을 손쉽게 올리는 것으로 사람들이 잘못 알고 있다고 안타까워한다. 이곳 미역은 보통의 다른 미역과는 달리, 가격도 두세 배 비싸다. 하지만 그 진가를 아는 사람들은 꼭 독거도 미역을 찾는다고 한다.

밤바다 소리가 유난히 크고 슬프게 들리는 밤이면, 그 외로움을 육지 사람은 그 아무도 모른다고 한다. 80이 다 된 그였으나, 건장한 체격에 바닷사람다운 활달함과 강인함이 있어, 처음에는 60대의 노인으로 보였다. 그러나 도시의 30~40대의 노인 아닌 노인인 사람들에 비하여, 훨씬 젊음이 넘쳐났다.

이것이 바로 바다의 정기 때문일까, 바다에도 정기가 있다고? 그럼, 있고말고. 그리움과 삶의 엄숙함과 치열함을 함께하며 사는 바닷사람들이 바로 그 정기를 받은 사람들이다.

도시의 목소리 큰 사람들의 소리만 진리가 아니다. 그게 이 세상을 지배하는 소리인 것도 결코 아니다.

독거도와 진도의 팽목항 조도의 어류포항을 오가는 카페리

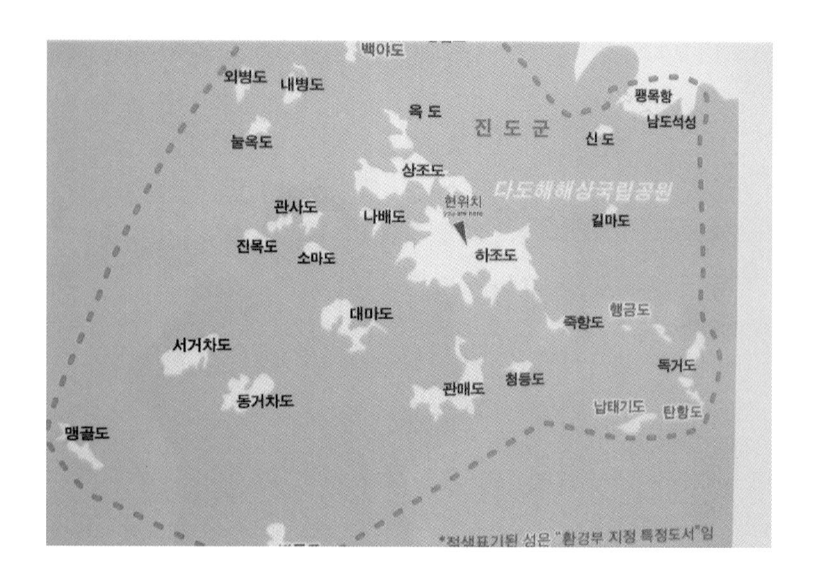

육지에서는 겨울이 한참일 때 다도해의 섬에서는 이렇게 꽃이 피고 있었다.
그러나 이번 전국을 강타한 추위로 꽃도 추위에 꽁꽁 얼었다.

새떼 섬 조도의 지킴이
박길림 문화해설사

이 섬을 찾아가는 길은 멀기도 하다. 광주를 거쳐 목포로 그리고 지금은 다리로 이어져 반 육지가 된 진도읍에 다다른다. 여기서 남쪽으로 차를 달리면 진도의 막바지인 팽목항, 이곳에서 배를 타고 40여 분, 바다 주변의 올망졸망한 섬의 풍경에 넋을 잃고 있는 사이에 이 섬의 선착장인 어류포항에 다다른다. 여행을 해서 직접 보아야만 왜 새떼 섬으로 불리는지를 실감하게 된다.

이 낙도의 사람인 박길림 씨는 인상이 우선 후덕스럽다. 이분을 만나서 이야기를 하고 나서 '좀 특이한 사람이구나.' 하는 느낌을 받았다. 자기가 태어난 그 섬에서 나이 들어도 벗어나기를 거부하는 모습이 계산에 능한 사람들에게는, 현대의 각박한 삶을 살아가는 데는 좀 어리벙벙한 생활 자세지 않나 하는 생각이 들 법도 하다.

그러나 박 씨는 자기가 걸어가고 있는 현재의 삶과 선택에 보람과 대단한 긍지를 가지고 있었다. 지금 그가 하는 일은 문화 해설사다. 이 새떼 섬을 중심으로 한 수많은 부속도의 유래와 경관과 사람들의 삶에 대하여 여기를 방문하는 외지인들에게 이를 설명하고 안내하는 일에 만족하고 있었다.

지금은 많이 줄었지만 60~70년대의 조도면에는 44개의 초·중등·고등학교가 있어 섬 아이들의 교육 터전은 단단했다고 한다. 박 씨도 역시 여느 섬 아이들과 같이 이곳의 초등학교와 중학교를 졸업하고 고등학교는 육지인 목포로 가게 된다.

당시의 우리나라의 국민소득은 형편없어, 보릿고개라는 이름의 춘궁기를 견디기가 참말로 어려웠다고 한다. 끼니를 걱정하는 섬사람들의 어려움은 아무리 이야기를 하여도 지금의 젊은이들은 도저히 이해하기 어려울 것이다.

그 당시가 그렇게 힘들었나요?

그렇지요. 밥다운 밥을 먹기가 어렵고 파래죽이나 고구마죽으로 하루하루를 연명했지요. 아마 대부분의 섬사람들의 형편이 비슷했을 겁니다.

유학을 육지로 갈 때의 감격은 대단하였지요?

교통이 지금처럼 하루에 서너 번의 배편이 있었나요, 겨우 한두 번이었지요. 전기는 없었고요. 호롱불을 키고 일을 하고 그 불빛으로 공부를 했지요. 생각하면 참말로 긴 터널 속을 달려온 느낌입니다.

공부를 마치고 군대를 다녀와 공직생활을 시작하셨지요?

그렇습니다. 교육청 공무원으로 취직이 되어 진도교육청에서 만 30년 넘게 근무를 하다가 정년했지요.

육지로 말년의 생활 터전을 옮길 기회가 많았을 텐데 다시 이 자그마한 섬으로 돌아온 까닭이 있으신지요?

수구초심이라는 말처럼, 저는 제가 태어나고 자란 이 섬이 바로 오늘의 저를 있게 했다는 생각에 도저히 떠날 수가 없었어요.

공직에 계실 때도 고향을 위해 많은 일하셨는데, 문화해설사를 지원하게 된 동기는 무엇입니까?

여기 섬은 참말로 경관이 빼어납니다. 전망대에서 보셨겠지만, 조도를 중심으로 한 그 수많은 새끼 섬들의 모습을 보면 참말로 자연의 신비에 감탄하게 되지요. 새끼 섬 등도 모두가 경관이 너무 좋아 지금도 사람들이 많이 찾고 있습니다. 관매도 해수욕장은 잘 알려져 있고 그 섬에 야외 음악당과 주변 경관을 아름답게 만들고 있어요. 아마 완성되면 아름다운 섬의 경관과 다도해의 푸른 물결이 어울려 환상적인 음악당이 되리라 봅니다.

오늘 이 자리를 빌려 몽땅 자랑 좀 하세요.

무인도인 병풍도는 그 아름다움 때문에 사람들이 많이 찾고 있어요. 특히 사진을 하시는 분들이 많이 옵니다. 현재는 배편이 없어 교통이 불편한 게 흠입니다.

그리고 또 무엇이 있습니까?

청등도며 나비 모양의 나배도, 거차도 등 조도에 딸린 새끼섬이 유인도 35개 무인도 119개, 총 154개입니다. 하나도 버릴 수가 없는 자연의 보고지요.

독거도도 새떼섬의 하나지요?

그렇습니다. 가장 남쪽에 있는 작은 섬인데 미역으로 유명하지요. 이곳 미역은 왕실 진상품이었습니다. 미역 하면 진도 미역을 치는데, 바로 이곳이 원산지입니다.

이 섬의 별명이 있지요?

정식 별명은 아니고 외지인들이 이 오지의 섬을 찾았다가 놀라서 영화 빠삐용의 섬이라고 말했다는데, 이는 전연 맞지가 않지요. 외로운 섬임에는 틀림이 없으나, 바삐용이 고생했던 남미의 그 섬과는 반대로 너무 아름답지요.

앞으로의 소망이 있으시다면?

이 조도가 제대로 된 관광 개발이 되고, 여기에 오시는 외지분들이 정말로 자연의 아름다움에 눈을 뜨고 기운을 얻어 다시 일상으로 흐뭇하게 돌아가시면 얼마나 좋겠어요? 물론 덕분에 이곳 섬사람들도 경제적으로 좀 더 부유해졌으면 하는 게 솔직한 저의 심정입니다. 그리하여 오늘의 저를 있게 한 이 섬의 발전이 저의 꿈입니다.

독실한 천주교 신자이시지요?

그렇습니다. 저의 어머니를 통하여 영향을 받아 저도 결국은 천주교 신자가 되었습니다. 세례명은 가빌로지요.

이곳 섬에 천주교가 전래된 게 오래되었다면서요?

100년 넘습니다. 목포 산정동에 처음 문을 여신 신부님이 제주도를 가시다가 풍랑으로 이곳 상조도에 피항하셨다고 합니다. 경관이 너무 아름답고 순박한 섬사람들의 인정에 감격하여 처음으로 공소를 열게 되었다고 합니다. 다도해의 섬 가운데서는 유일하고 가장 오래된 역사입니다.

지금 신자 수는 얼마나 되는지요?

80여 분 되는데 미사는 약 40여 분이 모여 미사 봉헌을 합니다. 한 가족같이 지내지요.

신부님이 이곳에 계시지 않지요?

일주일에 한 번 진도 성당에서 방문하여 미사 집전을 하십니다.

섬인구도 많이 줄었지요?

많이 줄었지요. 70년도만 해도 조도면의 총인구는 약 2만이었습니다이었 지금은 3,000이 조금 넘고요.

한국의 농촌의 현실이 섬이라고 해도 예외는 아니군요

그러나 지금은 조금 달라지고 있어요 양식업이 활성화되고, 교통편이 좋아지고 문화시설이 몰라보게 발전한 덕에 서울 등지에서에서 고생하면서 살던 젊은이들이 하나둘씩 내려와 열심히 살고 있습니다 벌이도 훨씬 좋아졌다고 해요.

한국의 농촌, 어촌이 다 그렇게 되면 얼마나 좋을까요

그렇게 되리라 믿습니다.

박 씨와의 대담은 계속 이어졌다, 고향에 대단한 긍지와 자부심을 가지고 있는 이분의 열정이 저 바다의 밀물처럼 밀려오는 기분이다. 지금도 섬에 남아서 고생하시는 사람들을 보면 양복 입고 공무원 생활을 한 본인이야말로 너무 많은 혜택을 받았다고 생각한다 안다. 그래서 이를 조금이라도 함께 나누고 싶은 게 이분의 진심이라고 한다.

불쑥 정지용 시인의 대표적인 시 「향수」가 떠오른다. “넓은 벌 동쪽 끝으로 옛이야기 지줄대는/ 실개천이 휘돌아 나가고 얼룩백이 황소가/ 해설피 금빛 게으른 울음을 우는 곳/ 그곳이 차마 꿈엔들 잊힐리야.”

오늘의 우리에게 고향이란 의미는 무엇인가이었 진정으로 가슴 저 밑바닥에 고향이란 불씨가 아직도 남아 있는가. 명절만 되면 수많은 사람들이 그 고생을 무릎 쓰고 고향이라고 부르는 곳으로 달려가는 광경을 보면 아직도 한국인의 가슴엔 고향이 틀림없이 존재하는 듯하다.

그러나 각박한 삶의 과정에서 전쟁과도 같은 생활을 겪고 있는 사람들에게 고향은 어쩌면 힘든 삶에 남겨진 마지막 진액이 스며든 바로 그곳이 아닐까.

애환이 많은 섬사람들과 세상이 달라져도 마지막까지 이웃하며 함께 살아가는 이분의 뜻이 이루어지기를 진심으로 빌어 본다.

엄니의 사진 작가 김태성 씨

그의 미소는 특별했다. 티 없는 모습 속에서도 강인한 의지 같은 것이 보인다. 하기야 결혼 15일 만에 일본으로 작품 활동을 위하여 달려간 그다. 사진작가로서의 길을 확고한 의지와 가치관을 지니고 매진하는 그를 보면서 '이 사람의 사진 모습을 어떻게 잡는담?' 하고 우선 당황했다.

사람들은 그를 '엄니의 작가'라고 부른다. 엄니란 전라도 말로 어머니란 뜻이다. 표준어가 도저히 갖지 못하는 향토색 짙은 단어. 엄니란 말은 전라도 사람들의 서정과 정신을 함께 아우르는 바로 그 말이다.

김태성은 그 엄니를 찾아서 전라도 일원, 그뿐만 아니라 일본을 시작으로 중국, 라오스, 베트남을 헤맨다. 엄니는 꼭 전라도 땅에만 존재하는 게 아니라는 사실을 그는 깨닫게 된다. 여러 나라의 땅에서도 우리들이 그리워하고 추구하는 어머니에 대한 순수한 정신을 보고, 그는 '아하, 사람의 마음 가운데 자리 잡고 있는 근원적인 어머니의 원천적인 힘은 거의 같구나.' 하는 느낌을 갖게 된다. 엄니야말로 인간의 에너지의 알파요, 오메가였다.

오는 4월 서울 청담동에 있을 전시회를 앞두고 그 준비에 몹시 바쁜 그를 초대석으로 끌어들였다. 묵직한 가방에 그가 애용하는 카메라가 담긴 것을 보면서 역시 이 프로정신이 투철한 젊은 작가의 도전정신이 무섭도록 빛난다고 생각했다.

본론부터 까놓고 얘기합시다. 사진 작가들은 멀쩡한 두 눈으로 보면 되는 사물을 왜 그렇게 기계를 통하여 보려고 애쓰는지요?

사람의 두 눈으로 볼 수가 있는 것은 그 범위가 한정되어 있는 경우가 많지요. 두 눈을 가지고도 시력 때문에도, 정신이 다른데 팔려 앞의 사물에 대한 집중력이 떨어져 그 본질을 놓치는 경우도 많습니다. 그러한 의미에서 사진기란 기계는 이를 보완해 주는 고마운 존재인 것 같습니다.

작가의 주제는 엄니인데, 응석 부리는 의미의 그것은 아니겠지요?

그렇지요. 엄니들의 얼굴을 들여다보면 볼수록 고생과 가난 속에서도 굳건하게 살아오며 자식에 대한 그지없는 사랑이 느껴집니다. 이 세상 다할 때까지 자식을 위한 사랑은 변함이 없고 극진한 모습으로 나타나지요.

전라도 엄니들이 다른 점이 있을까요?

역사적으로 전라도 땅은 소외되어 왔지요. 그래서인지 가난으로 힘든 삶 가운데서도 굴하지 않고 이겨 나가는, 억척스러운 가운데도 따뜻한 사랑을 지닌 모습을 보게 됩니다.

그래요? 이 세상의 어머니들의 일반적인 모습은 아닐까요?

얼마는 그럴 수도 있겠군요. 그러나 엄니들의 모습은 또 다릅니다. 사람의 삶의 과정이 얼굴에 모두 나타난다고 하지를 않습니까. 작가의 눈에는 이들의 모습이 다르게 투영되는 게 사실입니다.

작가님은 처음 활동을 일본에서부터 시작했지요?

그렇습니다.

무엇을 보았지요? 젊은이들의 얼굴을 찾아갔다면서요?

그들의 자신감을 보았습니다. 교육 제도의 다른 점도 있지요. 그들에게는 공부한다는 게 점수 따는 것만 아니더라고요. 방학 때면 외국에 나가서 구경하고 싶은 것 구경도 하고, 하고 싶은 과외활동을 통하여 그들의 꿈을 익혀 가고 창조성을 키워 나가고 있어요. 그게 바로 그들의 모습이었습니다.

우리나라와 대비되지요?

생각하면 안타깝습니다.

2007년도에 열린 〈전라도 엄니〉 전시전 이야기 좀 들어 볼까요

등장인물이 700~800명입니다. 이분들의 얼굴을 보고 있으면 가까이 대하면서도 잊고 있던 내면의 새로운 모습을 볼 수 있지요. 그렇게 감동을 느낍니다. 새로운 발견의 모티브인 셈이지요. 이게 바로 예술의 힘이 아닐까요?

2008년도의 전시회 〈그립습니다, 엄니〉전도 같은 맥락이지요?

그렇지요. 어려운 삶 가운데서도 굳건함과 따뜻한 사랑이 베인 모습을 보게 됩니다.

그때의 사진전에서는 좀 더 토속적인 사진도 많이 보여 주어서 사람들의 많은 호응이 있었던 것 같습니다. 소설가 문순태 씨는 "엄니, 생각만 해도 명치끝이 찌릿하면서도 눈시울 이 핑 젖어든다. 너무 짠하고 그리워서 슬프다." 라고 팸플릿에 썼더군요.

그랬던 것 같습니다.

2010년에 있었던 〈라오스전〉과 파리와 벨기의 전시전에 출품했지요?

이때 100세 엄니 그룹전을 했지요.

같은 해에 있었던 중국 투어를 통한 작품 활동은 좀 특이하던데요.

피아니스트 윤호간 씨와 4명이 함께 여행을 하면서 연주회와 작품전을 같이 했지요. 장르가 다르지만 이러한 사진과 음악 사이의 교류랄까 교감이랄까, 독특한 체험을 통해 새로운 세계를 발견하게 되더군요.

이때의 작품들을 이번 4월 서울 전시회에서 볼 수 있습니까?

그렇습니다. 그 준비로 요즘 좀 바쁩니다.

앞으로의 계획은 어떻게 되십니까?

전라도 엄니의 작품은 계속됩니다. 특히 요즈음 우리 사회에 많이 불어나고 있는 다문화 가족의 모습을 많이 촬영하려 합니다. 이분들의 애환을 작품화하고 싶습니다.

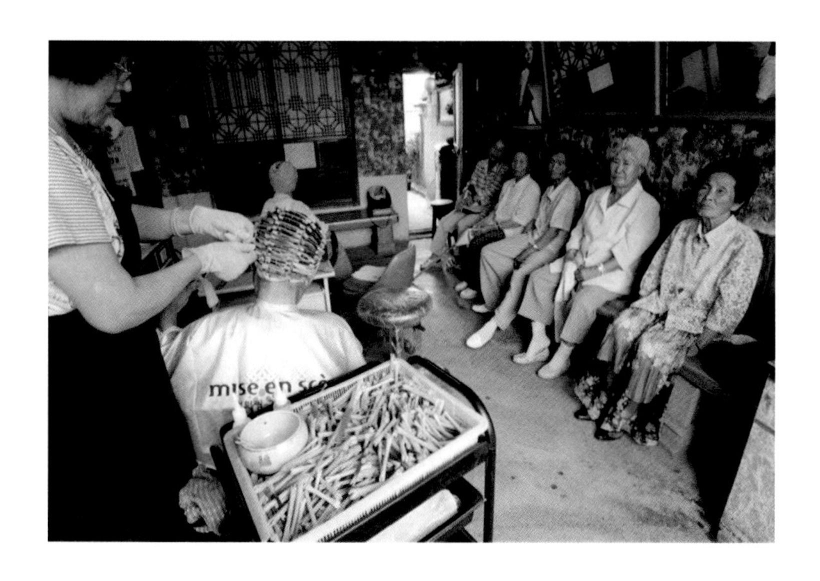
mise en

노인 요양전문병원 간호사 김인경 씨

지금 막 입원 환자들이 점심 먹는 것을 도와 드리고 온 김 간호사는 지친 기색이 전연 없다. 요양병원 간호사 일은 일반 병원 간호사보다도 더 실질적인 면에서 힘들다.

이곳 노인 요양전문병원에서 근무한 지가 벌써 4년이 넘는다고 한다. 우리나라 노인 인구가 거의 20.8%를 차지하기 시작하는 시점이 얼마 남지가 않아 노인복지 문제는 국가의 중대한 어젠다가 되었다.

최일선에서 노인 환자들을 위하여 애쓰고 있는 김 간호사의 말을 들어 보기로 한다.

이 병원에 근무하게 된 계기가 무엇인지요?

다른 의료기관에서 근무를 하다가 노인복지 문제가 남의 일이 아닌 것 같은 생각이 들어 시설과 의료 여건이 좋은 이곳에서 근무를 한 지가 벌써 4년이 지났네요. 제가 간호사가 된 게 벌써 17년이나 되었습니다.

노인 환자들을 돌보는 데는 여러 애로가 있지요?

노인 환자들은 대부분 만성 질환자들입니다, 잘 낫지 않고 거의 돌아가실 때까지 병과 함께 보내시지요. 이분들의 병으로 인한 아픔과 괴로움을 함께해야 하는 직업이죠. 어느 의미에선 이분들의 보호자 역할을 해야만 하지요. 항상 긴장해야 하기 때문에 힘이 들 때가 많습니다. 나이가 드시면 사회적으로 외롭고 건강은 나빠지는 데, 병까지 얻게 되면 너무 힘들지요. 더구나 경제적으로 노후 준비가 되어 있는 분들은 거의 없는 것 같아요. 특히 이런 시골에 계신 분들은 자식들이 대부분 외지로 가고 없어 고아 아닌 고아처럼 되고 말았지요.

문제가 참 많은 것 같습니다.

병원 내에서도 노인들에게 경어 쓰기를 열심히 강조하고 있습니다. 이분들도 자존심은 여전하시지요. 인생의 끝이라고 해서 노인들의 인격까지 무시하면 절대로 안 됩니다. 그리고 자식들이 잘 들여다보지 않음을 원망하시는 분에게는 지금 이 순간에도 자식들은 열심히 먹고살기 위해 일하고 있어 여기까지 잘 오지 못하니 이해하시라고 말씀을 드리지요.

아, 그러시군요.

그리고 이분들의 프라이버시도 존중해 주어야 합니다. 여러 인생의 단면을 많이 목격하게 되고 이를 통해 우리의 삶을 다시금 생각해 봅니다.

어려움이 많은 것 가운데 대표적인 것이 있다면 어떤 것입니까?

대부분이 치매 환자들인데 이분들은 때로 엉뚱한 얘기를 하는 경우가 많습니다. 가령 방금 아침밥을 먹고도 안 먹었다고 생각하신다거나, 약을 드셨는데도 약을 주지 않았다고 하신다거나, 자신을 구막한다고 하신다거나 하는 이야기를 어쩌다가 한 번씩 면회 온 자식들에게 하시는 경우가 간혹 있습니다. 환자의 말을 그대로 믿고 탓을 하는 분들이 더러 있는데 그때는 참 어처구니도 없고 서운한 생각도 들지요.

그럴 땐 어떻게 하시지요?

설명을 드리고 설득하는 일밖에 다른 방법이 없지요. 여기에 계신 간병사분들 참 많이 애를 쓰시지요. 외상 상태 그대로 있는 환자분들의 대변, 소변 기저귀를 갈아 치우고 목욕도 이발도 해 주시죠. 침상을 깨끗이 정돈해야 하지요. 이 외에도 온갖 궂은 수발을 다 하고 계십니다. 봉사 정신 없이는 하루도 못합니다. 이분들이 애쓰시는 모습을 보고 간 어느 가족분이 효녀는 우리가 아니라 그 병원에서 일하시는 간병사분들이라고 칭찬하셨다는 말씀이 있어요.

힘이 드시겠네요.

어쩌다가 면회 오신 가족분들이 이분들에게 하는 따뜻한 말 한마디가 그렇게 좋을 수가 없어요. 말 한마디가 너무 인색한 경우도 있지요.

이분들의 병원비는 주로 누가 냅니까.

국가에서 부담하고 일부는 개인이 내게 되어 있습니다. 생활 보호 대상자도 다소의 자부담이 있습니다. 그리 많은 액수는 아니지만, 이것도 살기가 힘든 자식들에게는 부담이 되는 경우도 있습니다. 주로 큰아들이 부담하고 다른 아들과 의논하여 부담하는 경우도 있는 것 같습니다. 돈 문제로 형제간에 서로 다투는 경우도 보았습니다. 옛날부터 장병에 효자 없다는 말이 빈말은 아닌 것 같습니다.

그럴 테지요.

일 년이 돼도 한 번도 찾지 않는 아들이 멀리서 음주 상태에서 전화로 간호가 잘되느냐 병이 왜 빨리 안 좋아지느냐 하고 따지는 경우도 있어 어처구니없을 때도 있습니다.

이것이 인간세계의 한 단면이 아니겠어요?

인내와 이해로 이를 넘겨야 한다는 기도로 하루를 보내는 것 같습니다.

주로 문병 오는 자제들은 어떤 분들입니까?

따님들이 많습니다.

아하! 그래서 딸을 낳아야 한다는 말이 정답이군요. (웃음)

문병하시는 분들도 정말 주의를 해야 합니다. 어느 병원에서 있었던 일이라고 합니다만, 자식이 혼수 상태에 있는 아버지에게 '죽지도 않고 살아 있네.' 하고 넋두리를 했다고 해요. 이 환자분이 의식이 조금 돌아와서도 음식을 안 드시려 했다고 합니다.

가장 보람을 느낀 적은 언제입니까?

이분들은 자기를 성심껏 돌봐주는 의사, 간호사, 물리치료사 또는 간병인을 친자식처럼 생각하는 경우가 많습니다. 너무 삭막한 삶에서도 이분들 대부분 세상을 인식하고 계시는 것 같습니다. 물론 치매가 심한 경우나 완전 혼수상태에 빠진 분들을 제외하고 말씀입니다.

정부에서 제도적으로 개선해야 할 점은 무엇이라 생각합니까?

간병사도 차등제를 적용해야 한다고 생각합니다. 요양원은 환자 한 사람당 2.5명의 요양보호사를 필요로 하는 것으로 알고 있습니다만, 하여튼 지방 소도시에 있는 요양병원에서는 간호사 요양보호사 등의 수급이 어렵습니다. 이분들이 시골 병원에 있는 요양병원에서도 근무할 수 있도록 정책적인 배려가 있으면 합니다.

이분들을 돌보시면서 자신의 노후를 생각하신 적이 있지요?

그럼요. 얼마 후의 제 미래를 보는 것 같아 오싹해질 때가 있지요, 치매는 정말 무서운 병입니다. 병에 걸린 바로 그 순간에 자신의 인생은 다 끝난 것이지요. 가족도 그 누구도 알지 못하게 되는 비극적인 병입니다. 저희들 동료 간에 대화를 나누다가 노후에 치매보다도 오히려 암 걸리는 것이 더 낫지 않을까 하고 말한 적이 있습니다. 암 환자에게는 그래도 임종 순간 가까이도 자신의 의지로 생을 정리할 수 있는 기회가 주어집니다. 그러나 치매는 아니지요. 정말 무섭고 두려운 병인 것 같습니다.

오늘 좋은 말씀 고맙습니다. 외롭고 힘든 노인 환자분들을 위하여 더욱 좋은 일 많이 하시길 부탁드립니다.

자원봉사자 가수 신옥숙 씨

노래 부르는 일이 그저 즐겁다고 한다. 노래 가운데 삶의 역동적인 가치가 넘쳐난다고 한다. 노래 자원봉사자 신옥숙 씨(48)는 가정주부이자 대한 가수협회 회원인 가수로서 동시에 생활하는 게 그리 만만한 일은 결코 아니나 가족들, 특히 남편의 이해와 협조로 즐겁게 일한다고 말한다.

요즘에 사람들은 봉사활동은 으레 아프리카나 세계의 오지를 찾아 일하는 것이라고 생각하는 경향이 더러 있으나, 우리 주변에도 따뜻한 이웃의 손길을 기다리고 있는 사람이 너무 많다고 한다.

활동하시게 된 동기가 있으신지요?

제가 어려서부터 노래를 참 좋아했습니다. 노래를 부를 땐 삶의 희열 또는 보람 같은 것을 느꼈죠. 가정주부로서 한 사람의 가수로서 무언가 더욱 보람 있는 일을 찾았습니다. 그러다가 저의 재능과 취미를 어려운 처지인 병들고 마음이 아주 연약한 상태에 빠진 어르신들을 위해 쓰면 좋겠다는 생각을 하게 됐습니다. 더욱이 시아버님께서 요양병원에 오랫동안 입원하시면서 더욱 많은 깨달음을 얻은 것 같습니다.

몇 분이 함께 하시지요?

이 활동을 시작한 게 8년째나 되지요. 오진성 한마음 가요 봉사단 단장님이 잘 이끌어 주셔서 주로 열심히 하는 회원은 7~8분 됩니다.

어떻게 활동하십니까?

전라남도 동부지역인 광양, 순천, 보성 지역을 중심으로 있는 요양병원 복지관 교회 그리고 일반 병원 등에 정기적으로 찾아가 노래를 통한 활동을 하고 있습니다.

찾아가시면 좋아들 하시던가요?

그럼요. 흥겨운 노랫소리가 나오면 박수를 치시고 함께 즐거워하시지요. 오랫동안 병고에 시달리면서 가족들과 떨어져 계시는 환자분들은 정말로 기뻐합니다.

가수 활동은 어떻게 하고 계십니까?

금년에 2개의 음반이 나오게 됩니다. 노래는 제 삶의 기둥입니다.

알겠습니다. 그동안 이 봉사활동을 하시면서 느낀 것이 많으시지요?

봉사활동을 말하면, 사람들은 어느 특정한 사람이나 특별한 사람만이 하는 걸로 알고 있습니다. 그러나 힘들고 외로운 세상살이에서 서로를 돌보고 이웃에 대한 관심으로 더불어 사는 것, 바로 이것이 우리 공동체의 목표가 되어야 한다고 생각합니다. 자기가 할 수 있는 것, 가장 즐겁게 잘 할 수가 있는 것을 통하여 진솔하게 하면 참다운 보람을 얻게 되리라 생각합니다.

동감입니다. 아무튼 세상 사람들이 먹고사는 데 정신이 없고 사는 게 힘든 이 세태에서도 다른 이들을 위해 할 수 있는 일을 하시는 게 멋집니다. 외롭고 병든 노인들을 위하여 재능을 발휘하는 일이 더욱 알차고 보람 있으시기를 바랍니다. 감사합니다.

환자가 된 어느 항해사의 기도

항해사였던 그에게 바다는 아직도 생생한 기억 가운데 살아 있다. 부산항을 떠난 배는 대만, 싱가포르, 인도양의 여러 항구 그리고 사우디의 항구를 들려 싣고 갔던 짐을 풀고 다시 돌아온다. 그런 일을 하며 그는 긴 청춘을 보냈다.

한국에서 60세가 넘으면 노인네라고 부를까. 70~80세가 대부분인 지금의 고령 사회에서는 노인 측에 끼지도 못할 나이다.
박 씨, 그는 오늘도 요양병원 침대에서 하루를 보낸다. 좌측 편마비로 걸음걸이가 정상이 아니다. 팔은 잔뜩 당겨진 활처럼 잘 굽히지를 못한다. 그의 면회인은 거의 1년 만에 찾아오는, 부산에 산다는 그의 누님뿐이다.
항해사였던 그에게 바다는 아직도 생생한 기억 가운데 살아 있다. 부산항을 떠난 배는 대만, 싱가포르, 인도양의 여러 항구 그리고 사우디의 항구를 들려 싣고 갔던 짐을 풀고 다시 돌아온다. 그런 일을 하며 그는 긴 청춘을 보냈다.
바다를 오가며 보내다가 그는 잠시 휴가를 집에서 보내게 되었다. 육지에서 가족과의 생활하는 기쁨은 보통 사람은 상상할 수도 없다. 어눌하게 말하는 그는 가족 이야기가 나오면 눈이 반짝인다. 하지만 그것도 잠시, 그러나 그의 절망과 안타까운 모습이 되살아나는 것을 발견하고는 너무 애처롭다는 생각이 든다.
집에 휴가차 잠시 와 있던 어느 날, 집 뒤에 있던 전신주에 매달린 전깃줄을 어쩌다가 만지게 되었고 고압의 전류가 그의 몸을 관통하게 된다. 그의 비극의 시작이다. 이 병원 저 병원으로 전전하며 치료를 받아도 소용이 없었다. 병 수발과 불어닥치는 경제적 문제와 여러 이유 때문에 결국 이혼도장을 요구했던 아내는 나이 어린 아이들 남매를 데리고 떠난다.
30년이 지난 일이지만, 바로 엊그제 같다. 사람들은 그의 아이들이 그가 진작에 병으로 죽었다고 아는 건 아닌가 추측한다. 그렇지 않고서야 아버지를 찾지 않는 다 큰 자식들의 행태는 이해할 수가 없다고 한다.
그의 조그마한 가방 속에는 어릴 때의 남매의 사진이 소중하게 보관되어 있다. 아들의 나이 35세이니 지금쯤은 결혼하여 일가를 이루었을 것이다. 딸은 30여 세이니 시집을 가서 잘 살고 있을지도 모른다.
그가 그토록 사랑했던 가족은 그 많은 세월 가운데 연기처럼 살아지고 말았다. 버림받은 사람의 고난을 사람들은 도저히 상상하기 쉽지가 않다. 형제들도 여럿 있지만 점점 멀어지기 시작한다. 이제 피붙이는 누님 한 분뿐이다.
요셉이란 가톨릭 세례명을 가지고 있는 그. 이미 굳어지고 변형된 팔 다리의 재활 치료는 거의 불가능해졌다. 그의 마음의 상처를 보듬어 줄 수 있는 능력이 내게 좀 더 많이 있었으면 하고 늘 기도를 해 본다.
회진 시간마다 병자를 위한 기도를 드리는 자리에서 보이는 그의 진지한 모습이 안타깝다. 가족에 대한 그의 그리움은 여전하다. "지금도 아이들이 보고 싶소?" 조심스럽게 묻는 사람에게 그는 단호하다. "그것을 말이라고 해요?"

쌈짓돈의 주인 할머니

할머니는 오늘도 밥 먹는 것을 거부하신다. 치매로 인한 우울증으로 집과 병원을 오가는 생활이 오래된 분이다. 심지어 약 먹는 것도 거부하며 아예 입을 악물고 입을 벌리려 하지 않는다. 가족 사이에 문제가 없는 집이 과연 몇 집이나 될까. 이 할머니에게도 삶의 가치를 빼앗아 간 사연이 있을 법하다.

할머니는 오늘도 밥 먹는 것을 거부하신다. 치매로 인한 우울증으로 집과 병원을 오가는 생활이 오래된 분이다. 심지어 약 먹는 것도 거부하며 아예 입을 악물고 입을 벌리려 하지 않는다. 가족 사이에 문제가 없는 집이 과연 몇 집이나 될까. 이 할머니에게도 삶의 가치를 빼앗아 간 사연이 있을 법하다.

면회 오는 자식들은 집안에 큰 문제가 없다고 부인하나 이웃에 같이 살던 사람들의 이야기는 좀 다르다. 도시에서 공무원인 남편과 함께 그런대로 잘 살던 딸이 찾아왔다.

"어머니, 저금통장을 수중에 가지고 계셔서는 안 되어요. 요즈음처럼 무서운 세상에서는 노인이 돈을 지니고 있다고 소문나면 험한 일 당하는 거 아세요?"

면회를 와서 한나절 동안 딸의 극진한 간호와 설득에 속 내의 속에 감추고 입원생활을 하던 할머니는 통장과 도장을 몽땅 내밀었다.

"걱정 마세요, 엄마. 내가 잘 보관할게. 병 조리나 잘하세요."

딸의 말을 따르면서도 어머니는 걱정이 태산이 되었다. 내가 평생 모은 돈인데 이걸 어쩌나. 밤에 잠을 잘 수도 없었다.

"선생님 잠이 안 와요, 밥맛이 없어요."

안색은 점차 초췌해지고 체중은 감소한다. 탈수가 쉽게 오고 피부도 거칠어진다. 눈앞에서는 애써 모은 돈이 공중에서 흩날리는 광경이 떠오른다. 이럴 때는 정신을 안정시키는 약을 아무리 열심히 처방을 해도 병의 증세가 쉽사리 좋아질 리가 없다.

드디어 할머니는 면회 차 오랜만에 들린 딸에게 사정한다.

"아가야! 아무래도 내가 그 돈을 가지고 있어야 힘이 날 것 같응께 돌려주거라, 그게 좋을 것 같다."

대답을 머뭇거리던 딸이 이제는 늙은 어머니에게 윽박지르기 시작한다.

"아따, 어머니는 너무하시네요, 누가 어머니 돈 떼여 먹을까 그러세요. 해도 너무 하네요. 그렇게 자식을 못 믿으세요. 그 돈은 우리가 아파트 평수를 늘리는 데 돈이 좀 부족하여 사용했어요. 다른 사람들은 부모가 집도 잘 장만해 준다는데 그러세요."

할머니는 숫제 눈을 감고 마음으로 입과 귀를 막고 딸의 포악을 듣는다.

이 기막힌 돈의 행방을 알고 난 후의 할머니 병세는 하루가 달라졌다. 애써 모은 몇 백만 원의 돈이 원수였다. 부모와 자식 사이의 윤기를 흩으려 놓고 만 것이다.

가난한 시골에 계시는 어머니가 애써 모은 돈을 누이가 가져다 사용하여 어머니 병세가 악화되었다는 사정을 안 큰아들이 누이를 찾아가 따졌다. 그러고 몇 달 후에 할머니의 사위는 비어 둔 시골의 처갓집을 찾아가서 술 냄새를 풍기며 처남 이놈을 때려죽인다고 동네방네 노인들 들으라고 엄포를 놓고 시위를 하다가 돌아갔다고 한다.

이 사실을 늦게나마 알았던 할머니는 오늘도 입을 악물고 수액 주사로 겨우 연명을 하고 계신다.

"내 이 가슴에는 화 덩어리가 꽉 차 있다우."

가쁜 숨을 내리쉬며 더듬거리면서 말을 잇는다.

"이 세상사가 결국은 덧없는 악의 잔치여서 도대체가 먹을 것이 하나도 없는데, 입을 벌려 무엇하냐, 먹어서 무얼 하냐."

정신보건 사회복지사 박지영 씨

어린 시절의 꿈을 이룬 소녀가 앞에 앉아 있다. 공무원인 아버지를 따라 다도해의 여러 섬을 옮겨 살며 푸른 바다와 물새를 벗하여 어린 시절을 보냈다. 그 과정에서 삶의 경이로움을 가슴속에 담고 하느님의 위대하심을 순수 그대로 받아들인다.

때로는 모진 바닷바람에 맘을 졸이고 밤에는 바다 울음에 무서움을 느끼면서도 소녀의 꿈은, 남을 위하여 보람된 일을 하는 것이었다.

정신보건 사회복지사 박지영 씨(35). 섬마다 최소 하나 정도는 세워진 교회를 그 혼자서 열심히 다녔다는 말을 들으면서 어린 시절의 꿈은 환경에서 많은 영향을 받는다는 말이 진실임을 알게 된다.

나이가 들면서 한때는 아프리카 선교가 희망이었다. 가난하고 병든 사람들을 위한 봉사를 하고 싶었다고 한다. 그러나 그에게 아프리카로 가는 길을 알려 주는 이는 그 누구도 없었다. 비록 아프리카로 가는 길은 미루어졌지만, 맑은 샘물처럼 넘쳐흐르는 그의 정신과 함께 바람은 점점 결실을 맺어 가고 있었다.

그는 이제 어엿한 중견 일급 정신보건 사회복지사라는 직함을 가지고 정신병 병마로 고생하는 환자들을 혼신으로 돌보고 있다. 정신과 의사와 정신보건 사회복지사 정신전문 간호사가 협동으로 환자에 대한 치료와 아울러 환자의 재활을 목표로 한 직업 훈련은 물론이고 사회적응 훈련을 하는 게 목표다.

OECD 국가에서 가장 높은 노인 자살률과 정신질환이 우리 공동체의 큰 문제로 대두되고 있는 현실에서 이들은 할 일이 참으로 많다.

이 직업을 택하게 된 직접적인 동기가 있는지요?

저의 어릴 적 꿈은 한결같았습니다. 남을 위하여 봉사하는 일을 그렇게 선망했습니다. 지나고 생각하니 교회의 영향도 많았던 것 같습니다. 그러나 가난하고 외롭게 살아가는 섬사람들의 모습이 항상 제 가슴 가운데 맴돌고 있는 것이 중요한 계기가 된 것 같습니다. 부모님을 따라 뭍으로 와서 학교를 다니면서도 이 꿈은 여전했습니다.

이 직업은 좀 특별한데 어떡한 과정을 거쳐야 하는지요?

저는 대학에서 사회복지학을 전공했습니다. 졸업과 동시에 일급 복지사 자격을 획득하고 이어 1년간의 연수 과정을 거쳐 정신보건 사회복지사 2급 자격을 땄습니다. 그 후에 5년간의 활동 후에 국가시험을 거쳐 일급 자격을 획득했습니다. 그리고 현재는 지방에 있는 병원의 사회사업실장으로 일을 하고 있습니다.

현재의 국가정책에서 이 분야에 대한 아쉬운 지원책이 있는지요?

사회복귀시설 사업에 대한 인식 부족과 미진한 지원이 너무 아쉽습니다. 정신병원이나 요양원도 물론 필요하지만, 사회복귀시설은 환자와 더불어 생활하면서 돌보기 때문에 환자들이 겪는 정신적인 스트레스나 소외감을 훨씬 수월하게 극복할 수가 있고 치료 효과도 높기 때문에 외국에서는 많이 활성화되어 있습니다. 물론 이에 대한 국가 지원도 활발하고요

아, 그래요?

요즈음 국가정책은 도박, 알코올, 성 문제와 같은 분야를 특성화하여 관리하려는 경향이 주류입니다. 그래서 일반적인 정신병 환자에 대한 관리가 아무래도 뒷전으로 밀리고 있는 것 같습니다.

애로사항이라 할까, 에피소드가 있다면 하나 말씀해 주세요.

어느 해인가, 제가 근무하던 곳에서 환자들을 위하여 양계장을 운영했습니다. 그런데 조류독감이 그해 갑자기 유행하여 몽땅 죽어나가는 통에 아주 낭패를 당했지요. 말씀을 다 드리자면 한정이 없습니다.

앞으로의 포부가 있다면요?

여건이 허락되면 후배 양성을 하고 싶습니다. 나이가 더 들면 사회복귀시설을 운영하여 나름대로 선진국의 시설처럼 발전시키고 싶습니다.

그의 꿈은 아직도 진행 중이다.

영양사 이은숙 씨

영양사에 대한 우리나라 사람들의 인식도는 어느 정도일까. 사람들은 식생활의 영양에 대해서 일하는 직업이라고 대다수가 생각한다. 우리나라 사람들이 식품에 대해서 근본적으로 그 영양과 질을 따진 것은 긴 세월이 아니었다. 그전에는 가난 때문에 우선 먹고사는 일에 정신이 없었기 때문이다.

이은숙 병원영양사(41)를 만났다.

우리의 먹거리에서 가장 부족하고 문제가 되는 점이 무엇이라 생각하나요?

저는 칼슘이라고 생각합니다. 우리나라 사람들이 멸치나 젓갈 등을 먹기 때문에 이 문제가 쉽게 해결되었다고 여기는 사람들이 많은데, 실상은 그렇지 않습니다.

아, 그래요? 뜻밖이네요.

그래서 가장 좋은 것은 우유나 멸치, 병어포 같은 어류인데, 요즘 값이 많이 올랐지요. 사실 많은 사람들이 일상적으로 사 먹을 수 있으면 좋겠는데, 현실은 다르지요. 입맛도 달라졌고요. 지방 섭취도 과도하게 하는 점은 문제입니다. 삼겹살, 모두 좋아하는데, 많이 먹는 것은 좀 지양해야 합니다.

그리고 다른 것도 있나요?

역시 나트륨을 과다하게 먹는 것입니다. 우리 식품은 일반적으로 짭니다. 그래도 지금은 많이 개선되었으나, 사람들의 입맛이 하루에 달라지나요. 국물을 많이 먹는 식습관도 개선되어야 한다고 생각합니다. 국물이 없으면 밥이 목으로 안 넘어간다고 하지 않아요? 이게 오랜 우리의 식습관이었습니다. 하지만 국물에서 오히려 불필요한, 건강을 해치는 나트륨을 많이 먹게 됩니다. 국물 없는 날을 지정하는 곳도 있지요.

그렇군요. 이러한 음식 문화 전반을 검토하고 지도하는 영양사의 역할이 정말 중요한 것 같습니다.

저는 학교 급식 지도에 대한 경험, 그리고 대기업에서의 홍보 영양사로 일한 경험이 있습니다만, 영양사는 우리 먹거리에 대한 끊임없는 연구와 실천을 할 필요가 있는 것 같습니다.

지금 하고 계시는 병원영양사 일의 어려움이 있다면 무엇인지요?

저는 15년이 넘게 영양사 일을 했는데, 그중에서 지금의 일이 가장 보람차고 어느 의미에서는 힘도 듭니다. 병원 급식은 환자 개개인의 특성에 맞게 신경을 써야 합니다. 병의 진도에 막대한 영향을 주지 않습니까. 더더욱 위생 상태를 항상 검검해야 합니다, 수많은 조리원을 지도 감독해야 하고 주방의 청결 그리고 식품 재료에 대한 엄선과 같은 근본적인 문제들도 있지요.

영양사를 꿈꾸는 사람들이 많은데, 그 과정은 어찌됩니까?

저는 대학에서 식품영양학을 공부하고 국가시험을 보고 자격증을 땄습니다. 문제는 그 후에 수많은 경험을 쌓고 노하우를 터득해 자기 나름대로의 지식을 갖고 일해야 한다는 겁니다.

어느 직업이나 마찬가지나, 그런 근본적인 것이 유달리 필요하군요.

그렇습니다.

우리의 한식이 최고의 음식이라 생각하십니까?

골고루 영양을 섭취할 수 있으니, 건강식으로는 아주 우수한 음식이라고 생각합니다. 요즈음 문제는 소위 퓨전화라고 하여 이도 저도 아닌 음식을 버젓이 한식화하여 내놓는 일입니다. 우리 음식의 특성과 우수성을 헤치지 말았으면 합니다.

동감입니다. 여기저기에 퓨전 음식점이 많더군요. 취직은 잘 되나요?

비교적 잘 되는 것 같습니다만, 우리 사회에 아직 영양사에 대한 인식의 틀이 덜 잡혔어요. 가장 근본적인 것이 먹고사는 것 아닐까요? 이 분야에 대한 인식도가 많이 개선되어야 합니다.

앞으로 우리나라 음식 문화에 대한 끊임없는 연구를 통하여 발전의 기틀에 보탬이 되기를 기대합니다.

탤런트 칠득이 손영춘 씨

텔레비전에서 보아 온 그는 이제 젊은 티를 훨씬 벗어난 모습이다. 배우가 되기를 그렇게 바라던 그가 26세에 KBS 공채 10기로 입사한다. 한반도의 끝자락인 전남 고흥군 포두면에서 어린 시절을 보내고 학교를 다닌 그의 시대는 당시에 마을에 텔레비전이 있는 집이 아주 귀했다. 아들이 목숨을 걸고 월남전에 참전하여 어찌어찌하여 집에 가져온 아주 귀한 물건이었다. 티비가 있는 집에서는 온 동네 사람들이 둘러 모였다. 그렇게 밤늦게까지 마을의 밤 극장을 열렸다.

뒤에 예명이 칠득이가 된 고등학생 손씨는 여기에서 감동을 받았다. 바보 역으로, 드라마의 말단 역으로 서러운 연기자 생활을 하던 그는 드디어 1988년 KBS 연기대상을 수상한다. 그때의 감격을 회상하며, 그전 해에 아무것도 없는 그에게 시집온 아내가 바로 복이었다고, 다 아내 덕분이라고 웃는다. 부인은 친구의 누이동생으로 일남팔녀 딸부잣집의 일곱째 딸이다.

많은 고생을 하여 중견 연기자로 발돋움하셨는데 그 이야기를 좀 듣고 싶네요.

정말로 경제적으로도 어려웠고, 병아리 연기자부터 올라오기까지의 역경은 다 말할 수가 없었어요. 사글셋방으로 전전하기가 그 얼마인지 모릅니다.

갑득이로 태어나신 소감은 어떠십니까?

조금은 부족하지만 갑득이라는 인간이 보여 주는 인간성에 공감하고 매료되는 많은 사람을 보아서도 우리 사회가 무엇을 갈구하는지 알 수가 있지요.

동기생 공채 가운데는 누가 있습니까?

최재성, 김영배 등이 있지요. 대부분은 어려운 탤런트 생활에서 중도 탈락하고 다른 길을 갔지요.

출연 작품을 소개해 주세요.

〈칠득이〉, 〈용의 눈물〉, 〈포도밭 사나이〉 등등 많지요. 저는 배우라는 직업을 사실상 먹고살기 위해 택했습니다. 재주가 그것뿐이라서요.

배우는 도대체 무엇 하는 사람일까요?

사람의 애환을 연기를 통해서 보여 주며, 카타르시스를 느끼도록 하고 희망을 주는 사람이라고 생각합니다.

앞으로의 활동 계획은 어떻게 되나요?

〈승부〉라는 영화가 만들어지고 있는데 출연 중에 있고요. 백혈병 환우들의 감염 예방을 위한 무균차량 clean car 운동을 하고 있습니다.

아마추어 무선사 장황남 박사

그의 본업은 내과 의사다. 고국에서는 약리학자로, 미국에 가서는 내과 의사로 오랜 세월을 보냈다. 그는 자신의 바람이 이제는 결실을 보는 것 같아 조금은 안도가 되고 보람을 느낀다고 한다. 이 많은 자료를 사비로 미국에서 옮겨 올 때의 고충도, 지난 3개월 동안 귀국하여 이를 준비하는 과정의 고생도 다 잊었다고 웃는다. 취미가 자기 인생의 반려가 된 경우다.

우리는 진정으로 그 무엇에 미칠 만큼 열정을 쏟으며 오늘을 살고 있을까.

햄(HAM)이라고 하면 사람들은 얼른 알아듣지 못한다. 장 박사는 40년이 넘는 세월을 아마추어 무선사로 나름의 삶을 보냈다. 미국 콜 싸인 WA2ACM을 지니고 있다가 KE2HF를 취득하여 그의 개인 무선국을 미국에서 운영했다.

40년 전 한국에서의 그의 콜 싸인은 HM4DF. 그는 한국에서 아마추어 무선에 대한 초창기 사람들의 무관심을 뚫고 취미로 삼았으며, 이후 그것을 넘어 그의 삶의 일부분으로 여기게 되었다.

그는 고국의 어느 곳에 그동안 피 땀 흘려 컬렉션 한 초기 라디오, 전화 발코니 무선통신기 등 4,500여 점을 기증할까 고심하다가 광주의 조선대학교를 선택했다. 대학은 장 박사가 기증한 귀중한 자료들을 보관하고 정보통신의 발전 과업을 더욱 성취하는 것이 기증자의 뜻이라고 여겨 박물관을 만들기로 했다. 이름은 장황남정보통신박물관. 3개월 후 9월 29일에 조선대학교 개교기념일에 맞추어 문을 연다고 한다.

그의 본업은 내과 의사다. 고국에서는 약리학자로, 미국에 가서는 내과 의사로 오랜 세월을 보냈다. 그는 자신의 바람이 이제는 결실을 보는 것 같아 조금은 안도가 되고 보람을 느낀다고 한다. 이 많은 자료를 사비로 미국에서 옮겨 올 때의 고충도, 지난 3개월 동안 귀국하여 이를 준비하는 과정의 고생도 다 잊었다고 웃는다. 취미가 자기 인생의 반려가 된 경우다.

우리는 진정으로 그 무엇에 미칠 만큼 열정을 쏟으며 오늘을 살고 있을까.

쌀 박사에게 듣는다

쌀은 우리나라 사람들에게 무슨 의미일까? 단순한 주식의 대명사를 벗어나 숙명적인 인연의 말처럼 들리는 것은 어떤 까닭일까.

단군조선 이래로 한반도의 비옥한 남서쪽 지방을 중심으로 벼가 재배되었다. 그렇게 쌀은 주식은 물론이고 물물교환의 주요한 화폐 역할을 했다, 강우량이 적은 해는 흉년으로 나라의 경제가 무너진다고 아우성이었다. 쌀 전문가인 신해룡 박사에게서 쌀 문제에 관해 들어 본다.

1956년 광주시 광산구에서 출생(과거 광산군 송정읍)

1980년 전남대학교 농과대학 농학과 졸업

1982년 전남대학교 대학원 농학과 졸업(농학석사)

1992년 전남대학교 대학원 농학과 졸업(농학박사)

1986년 전라남도 농촌진흥원 농업연구사로 벼에 관한 연구 시작

1994년 1년간 장미 육종에 관한 연구 담당

2005년 1년간 참다래 육종에 관한 연구 담당

2006년 전남농업기술원 농업박람회 지원단장(농업연구관)

2008년 전남농업기술원 쌀연구소장

2014년 전남농업기술원 연구개발국장

신 박사께서는 이 분야의 오랜 전문가이신데, 현재 우리나라 쌀 상태는 어떻습니까?

남아돌지요. 엊그제 금년 쌀 생산량이 발표되었는데요. 2015년 국내 쌀 총 생산량은 425만 8,000톤으로 예상된다고 합니다. 이는 우리나라 인구를 5,000만으로 볼 때 한 사람 당 85.2kg에 해당하는 물량이지요. 그런데 국민 한 사람당 연간 쌀 소비량이 2014년 기준으로 65.1kg 정도입니다. 물론 밥쌀 외에도 가공식품으로 소모되는 분량도 있지만, 그래도 수입 물량이나 전년도 이월 물량이 있으니 남아도는 편이지요. 생활 패턴이 많이 바뀐 것도 이렇게 쌀 소비량이 줄어든 이유 중 하나지요. 요즈음 사람들, 밥을 적게 먹습니다, 과식은 건강에 좋지 않다는 생각이고요. 밥에는 탄수화물만 들어 있어 다이어트에 도움이 되지 않는다고만 생각을 합니다. 아침밥을 챙겨 먹는 사람도 점점 줄어들고 있지요. 현대인들의 바쁜 일상의 한 단면입니다. 말이 나왔으니 우리나라 사람들은 너무 밥을 먹지 않습니다. 우리나라의 식량자급률은 2014년 기준으로 49.8%밖에 되지 않습니다. 사료 작물까지 감안하면 24.0%로 일본을 제외한 어느 선진국보다 못합니다. 나머지 76%는 수입해서 먹는데, 쌀 소비 감소의 가장 큰 원인인 밀가루의 경우 2%도 채 되지 않아요. 결국 쌀은 남아도는데, 우리 배를 채우기 위해 98%의 밀가루를 외국에서 수입해야 합니다.

그런데도 보도에 따르면 쌀도 다른 나라, 예컨대 베트남, 미국 등에서 수입한다는데, 어떤 이유인가요?

우리나라는 우루과이 협정에 따라 의무적으로 외국에서 수입해야 하는 물량이라는 게 있었지요. 관세를 붙이면서 외국산 물품을 일정량을 수입해야 하는 것을 의무화한 제도인데, 영어로는 MMA라고 하고, 우리말로는 최소시장접근물량이라고 말합니다. UR 타결 이후 1995년부터 우리나라는 국내 쌀 시장 개방을 하지 않기 위해 이 제도를 적용해 왔는데, 처음 1995년에는 국내 쌀 소비량의 1%에 해당하는 5만 1,000톤을 수입하게 되었습니다. 10년이 흐른 2004년에 다시 쌀 시장 개방 압력을 받게 되면서 2014년까지 개방하지 않는 조건으로 당시 국내 쌀 소비량의 4%인 20만 5,000톤을 수입하되 2014년까지 8% 수준인 40만 9,000톤까지 매년 늘려 가면서 수입하기로 약속을 했습니다. 2015년부터는 쌀 시장을 개방하기로 하고 관세에 의한 수입을 해야 하지만 그럼에도 불구하고 과거 MMA로 수입하던 분량을 계속 의무적으로 수입해야 하는 것입니다. 금년과 같이 쌀농사가 대풍이어서 국내에 쌀이 남아도는데도 불구하고 그 양만큼은 수입을 해야 하는데, 세계의 개방시장 정책에서 우리 쌀을 지켜내기 위한 일종의 고육책이었지만 이제는 우리 쌀농사 기반을 무너뜨리는 해악이 되고 있는 셈이지요.

이들 쌀값은 우리 것에 비해 가격이 싸지요?

그렇습니다. 때문에 수입 쌀 대부분이 쌀을 원료로 하는 식품 공장으로, 음식점으로 팔리고 있습니다.

이런 상황에서 우리나라 쌀농사가 하향 곡선인데, 경지 면적도 줄어들고 있습니까?

그렇습니다. 그 가운데도 주된 것은 논이 공공용지 또는 산업용지로 많이 편입되고 있습니다. 논이야말로 도로나 공장시설 등의 기반 설비를 하는 데 가장 돈이 적게 들지요. 그래서 논의 침식이 많습니다.

식량 무기들을 이야기하고 과거에는 농업의 자립이 바로 독립국가가 되는 기본이라고들 하셨는데, 신 박사님의 의견도 같습니까?

저도 같은 의견입니다. 식량의 자립 없이는 국가가 다른 나라의 많은 제약과 굴욕을 받게 됩니다. 아마 앞으로는 석유 문제보다도 더 절박한 문제가 될 것입니다.

그렇다면 우리나라는 현 상태로 쌀만큼은 안심해도 됩니까?

그렇게 보입니다. 오히려 남아서 문제인데요, 일부에서는 그렇기 때문에 쌀농사를 더 줄여야 한다는 이야기도 합니다. 그러나 그렇게 되면 앞으로 식량부족이 나타날 때 대비할 수단이 우리에게 하나도 없게 되기 때문에 더 이상 줄여서는 곤란할 것입니다. 또한 통일 후의 북한 인구에 대비한 필요량은 또다시 잘 연구해야 할 것입니다.

벼는 몇 종이나 됩니까?

품종으로 따지면 우리나라에 등록되어 있는 것이 약 370여 종이 되지요. 밥쌀용으로는 280여 종이 있습니다.

하, 그렇게 다양합니까?

그렇습니다. 일제 말기에 전북 익산에 남선 지장(南鮮支場)이라는 연구소를 만들어 처음 벼 품종을 만드는 연구를 한 이래 농촌진흥청이 이 사업을 이어받아 끊임없이 개량 품종을 만들어 내고 있지요. 국민들이 잘 아는 통일벼도 다 그렇습니다. 요즘은 기능성 쌀을 만들어 내고 있습니다. 한 40~50여 종이 됩니다.

시장에서는 흑미니 붉은 쌀이니 또는 당뇨병 환자가 먹어야 할 쌀이 나왔다고 선전하고 있던데요?

예전에는 밥쌀용 품종 만들기에 주력했다면 1990년대부터 현미 색깔이 다른 품종이나 특수한 향을 가진 품종을 만들었고, 2000년대부터 특수한 기능 성분을 가진 품종을 만들고 있습니다. 예를 들어, 어린이 성장 발육에 좋은 필수 아미노산들이 많이 들어있는 쌀이나 치매나 알코올 중독 치료에 좋은 가바라는 특수 성분이 많이 들어 있는 쌀, 식이섬유 함량과 비소화성 전분이 많이 들어 다이어트에 좋은 쌀이라든지……. 지금도 국민들의 식성에 맞고 건강에도 좋은 품종을 만들려고 많은 분들이 열심히 연구하고 계십니다.

요즈음 쌀값 문제로 농민들이 정부 정책에 대한 불만이 많은데요.

농민들의 심정은 당연합니다. 쌀이 소득원의 전부인데 다른 모든 가격이 오르는 중에 쌀값만은 제자리니까요. 현실적 해결책이 필요합니다.

결론적으로 오늘의 식량 문제에서 가장 문제되는 것이 무엇이라 생각하십니까?

유통 문제입니다. 이를 지혜롭게 그리고 시장경제적 측면에서 해결책을 찾되, 농민들의 어려움도 충분히 염두에 두어야 합니다. 문제는 우리나라 산업구조가 급격히 변화하는 데에 따른 정책의 어려움도 있다고 생각합니다.

끝으로 우리 쌀 품종 가운데 GMO와 관련된 품종이 있습니까?

그건 없습니다. 연구는 하고 있습니다만, 우리나라에서는 GMO 농산물은 시장화하지 못합니다. 아까도 말씀드렸습니다만, 오직 전통적인 육종 방법으로 항산화 성분이 있어 건강에 좋은 특수 미등과 같은 특색 있는 쌀을 창출하려고 노력하고 있습니다.

그동안 우리 쌀에 대한 좋은 말씀을 해 주셔서 감사합니다.

아프리카 사목 봉사활동, 김형식 루피치노 신부

잠비아는 우리에게 잘 알려진 나라는 아니다. 근래에 세계 여러 나라가 아프리카 대륙에서 선교활동을 많이 하고 있다. 잠비아는 내륙 국가로 이전에는 여느 아프리카 국가처럼 내전으로 치안이 불안정했다. 하지만 근래는 내전이 종식되어 비교적 안정적이라고 할 수 있다. 아직은 경제적 개발이 더디나 경제 성장을 위해 노력하고 있다. 교육, 문화 인프라를 육성하는 데도 많은 관심을 보인다.

김형식 루피치노 신부(43)님은 2014년 3월에 잠비아에서 5년여를 청소년 센터를 운영을 통한 사목 활동을 했다. 신부님으로부터 아프리카 사목 활동에 대한 이모저모를 듣기로 한다.

아프리카에 가시게 된 동기가 있는지요?

제가 2014년 사제 서품을 받은 후 양천구 나눔의 집에서 1년간 활동을 했습니다. 해외 사목에 대한 생각은 그전부터 지니고 있었는데, 관구장님께 말씀을 드렸고 제 뜻이 로마에 있는 살레시오 총본부 총장님에게까지 전달되어 아프리카 사목에 대한 허락을 받게 되었습니다.

잠비아를 택하신 동기는요?

제가 임의로 선택한 것이 아니고 로오마 살레시오 본부에서 모든 요건이 저에게 그 나라에서 사목 활동이 적합한가를 판단하여 결정했고 저는 순명했습니다.

활동 영역은 어디였습니까?

잠비아, 말라위, 짐바브웨, 나미비아 의 네 개 나라가 하나의 관구로 되어 있어 저의 살레시오가 활동을하고 있습니다.

활동 범위는 어떻게 됩니까?

저의 관구 내에는 청소년 센터, 기술대학, 농업학교 등이 있어 이 나라들의 뒤처진 기술력과 농업 발전에 새로운 기술과 경영 관리 등을 가르쳐 주고 있습니다.

청소년 센터에 대해서 알고 싶습니다.

네, 아무래도 교육기관이 선진국에 비해 열악하고 시스템이 뒤떨어져 있어 문제이긴 합니다만, 이 나라 사람들이 배우겠다는 의욕은 대단합니다. 프로그램은 청소년들이 좋아하는 운동, 춤 동아리, 노래 배우기, 놀이를 위주로 활동을 합니다.

거기에도 많은 청소년 문제가 있는지요?

물론이지요. 술, 마약. 폭력 같은 문제는 선진국에서도 많은 청소년들을 망가뜨리는 해악이지 않겠습니까. 아프리카라고 예외가 없는 것 같습니다.

참여하는 아이들은 몇 명쯤이나 되는지요?

평일에는 120여 명, 주말에는 200여 명 정도지요.

그 많은 아이들을 혼자 가르치신다는 말씀입니까.

아니지요, 혼자 다 할 수는 없고 여기를 거쳐 간 청소년 가운데 우리 일을 돕는 사람들이 있지요. 열심히들 합니다.

가정에서 청소년 센터의 활동에 대한 호응이랄까 협조는 잘됩니까?

부모님들의 자식 잘되기를 바라는 마음은 어느 곳이나 똑같은 것 같습니다. 많은 관심을 주시고 협조적입니다.

다행이네요. 그런데 사용할 교재나 기구 등이 필요할 텐데요?

우리 살레시오 사업에 관심을 기지고 협조하시는 분들의 도움을 받고 있지만, 아직은 모든 것이 미흡합니다. 좀 더 발전적인 틀로 나아가려면 이러한 현실적인 과제가 하나씩 해결되어야 한다고 여겨집니다. 중요한 것은 우리나라 분들의 관심과 기도입니다. 멀리 아프리카에서 사목과 봉사를 하는 이들은 고국 사람들의 격려가 더 할 나위 없는 힘이 됩니다.

그곳 지내는 이야기 좀 들을까요?

생각보다는 지내기는 좋습니다. 아열대 지역인데 우기와 건기로 나뉘지요. 비교적 고산지역이어서 더위로 고생하는 일은 생각보다 훨씬 적습니다.

주식은 주로 무엇입니까?

옥수수를 찧어서 음식을 만들어 먹지요. 먹을 만합니다.

아, 그렇습니까. 말씀을 듣고 하나 생각이 납니다. 북한이 그전에 식량난으로 어려움에 있을 때 우리나라 민간 학자 주도로 신종 옥수수 씨를 많이 심게 하여 성과를 보았다는 기사를 보았는데, 식량이 부족한 그곳의 농업기술학교와 제휴하여 사업을 하는 것도 좋을 것 같습니다. 물론 살레시오에서 이러한 사업까지는 벅찬 일인 것 같고요. 아프리카에서 사목 봉사를 하고 계신 또 다른 살레시오 신부님이 계십니까?

애쓰고 계신 다른 신부님이 계십니다. 사목 사업을 하는 데 이러한 여러 사업이 네트워크를 통한다면 더 좋은 결과를 가져올 수도 있을 것 같습니다.

신부님처럼 사제나 수도자가 되어 해외에서 사목과 봉사활동을 꿈꾸는 젊은이들에게 조언해 주실 말씀이 있습니까?

첫째는 건강이지요. 자기 몸 관리를 잘해야 합니다. 두 번째는 아무래도 현지인들과 소통을 해야 하니 외국어 습득이 필요하지요. 현지어는 가서 배울 수밖에 없으니, 영어나 불어 가운데 하나라도 소통의 수단으로 삼아야 합니다. 마지막은 자신의 신앙에 대한 확고한 믿음입니다. 아마 이 말씀이 최우선 과제인지도 모르지요. 기도를 통한 믿음입니다.

김 신부님께 아직도 듣고 싶은 이야기가 많으나, 여기서 접을까 합니다. 살레시오의 아프리카 사목활동이 사람들의 주목을 더 받은 까닭은 남수단에서의 고 이태석 신부님이 이룩한 성공적인 사목의 영향도 많은 역할을 한 듯싶습니다. 오늘 말씀 감사합니다. 살레시오가 130여 나라에서 활동하고 있는 소중한 사업이 열매를 맺어 이 세상의 평화와 행복을 가져오는 데 일조하기를 빌겠습니다. 감사합니다.

아이들의 이발을 하는 날이다. '내 차례는 언제?'
아이들의 표정이 순진하고 귀엽다.

오늘은 즐거운 날. 노래도 배우고 아이들과 재미있는 놀이도 하고.
맛있는 간식도 먹고, 대부분의 아이들이 웃음기가 넘친다.
행복이 따로 있나. 돈 많은 것하고 행복은 아프리카에서는 따로다.

미사 봉헌을 하고 성당 앞에서 신부님과 함께 찰칵.
서로 사랑하고 아껴 주도록 기도합니다.

에필로그

왜 불꽃은 사람을 찾아 만나는가?

왜 사람은 타인들을 만나는가? 왜 다른 사람과 대화를 나누어야 하는가?

사람이 사회적 동물이기 때문이라는 답이 정답이라고 여태껏 알고 살았다. 그런데 어느 날, 갑자기 나 자신은 누구인가 하는 다소 회의적인 반문이 나를 엄습한다. 주위에는 많은 얼굴이 나를 둘러싸고 있다. 그들의 얼굴에서 나는 나 자신을 보는 것 같은 환상을 떠올린다. 나와는 전연 다른 호모 사피엔스라는 다소 해학적인 해석이 떠올라 때때로 당황하게 된다.

그러나 사람들 사이에서 발산되고 교신되는 음의 존재를 알게 된다. 이 음은 사람의 존재 가치를 깨닫게 한다. 이웃 사람의 내재적 정신을 서로 받아들이게 하는 힘을 인정한다. 그동안 나의 삶에 대한 회의감이 드는 것이 당연할지도 모른다.

가장 보통의 기준에서 열심히 살고 있는 사람을 찾아 만나는 일이 아주 가치 있는 작업의 하나라는 생각에 들었다. 33년 동안 의사라는 직업의 한계를 벗어나기 힘들었던 내가 과감하게 이를 도전하게 된 용기는, 어쩌면 우화속의 한 장면이었을지도 모른다는 일종의 자조도 나를 사로잡았다.

그러나 이왕 시작한 것, 이왕이면 좀 더 적극적이고 우리들과 조금이라도 다른 모습으로 열심히 살아가며 창조적인 역할을 하는 주인공들의 싱싱한 풀 내음 나는 저변의 피리소리를 들으려 애를 썼다.

물론 이들에게서 때로는 페이소스, 나른한 일상에서의 나와 비슷한 해방감을 맛보려는 강력한 의지와 욕망을 엿보았던 것도 사실이다. 그러나 대부분의 주인공들은 자기가 하고 있는 일 자체를 귀하게 여기고 최선의 노력을 성실하게 했다.

그렇게 사람 사는 공동체가 무너지지 않고 이렇게 유지되는 신비로움은 이런 분들 속에서 조용하게 분출되는 힘이라는 결론을 맺었다. 하고 있는 일에 대한 긍지와 자부심, 앞날에 대한 꿈의 나래를 활발하게 펼치고 있어, 절로 주변 사람들에게 싱싱한 활력소 역할을 하고 있다고 생각된다.

우리, 하루의 기적을 말하다

평범한 일상이 자아내는 특별함에 대한 정진홍 인터뷰집

발행일 2024년 7월 9일

지은이 정진홍
펴낸이 마형민
기획편집 강채영
디자인 김안석
펴낸곳 (주)페스트북
주소 경기도 안양시 안양판교로 20
홈페이지 festbook.co.kr

ISBN 979-11-6929-525-3 03810
값 17,500원

* (주)페스트북은 '작가중심주의'를 고수합니다. 누구나 인생의 새로운 챕터를 쓰도록 돕습니다.
creative@festbook.co.kr로 자신만의 목소리를 보내주세요.